2024 「時事力」
公式問題集

ニュース検定

=== 公式問題集 ===

1・2・準2級

監修：日本ニュース時事能力検定協会
発売：毎日新聞出版

目 次

正解と解説

ニュース時事能力検定（N検）とは

今の時代を生きるために欠かせない、ニュースを読み解き、活用するチカラをつける検定です。

ニュース時事能力検定（ニュース検定、N検）は、新聞やテレビのニュース報道を読み解き、活用する力「時事力」を養い、認定する検定です。

時事力とは現代社会のできごとを多角的・公正に理解・判断し、その課題をみんなで解決していく礎となる総合的な力（知識、思考力、判断力など）です。大きく変動し、先行き不透明な時代に、人生を切り開くために不可欠な力です。

志願者数 59万人
※2023年12月現在までの累計

■ 受検級のめやす　※詳しくは公式サイトに掲載しています。

級	5級	4級	3級	準2級	2級	1級
対象				大学生・一般		
			高校生			
		中学生				
	小学生					

■ 出題形式

四肢択一
※1級は一部記述あり

検定時間　50分
（各級45問）

合格の目安

100点満点中	
1級	80点程度
2～5級	70点程度

■ 出題範囲

各回、検定日の約1カ月前（目安）までのニュースを、［政治／経済／暮らし／社会・環境／国際］の五つの分野から出します。

2024年度に実施される2、準2級の検定問題の約6割は「2024年度版公式テキスト発展編」と「公式問題集」から出題されます（掲載された問題のほか、テキスト本文の内容を基に作成した問題を含みます）。掲載された問題そのままとは限らず、関連・類似問題を含みます。

1級を目指す方へ　2024年度の1級の検定問題（全45問）のうち、記述式（5問）は2024年度版公式問題集からも出題されます。公式テキストを参考書として活用しながら、新聞やテレビで日々のニュースに目配りしてください。公式テキストには、1級受検に役立つコーナーもあります。そこで扱ったテーマに関連する問題も検定で出題されます。

政治　経済　総合的な時事力　暮らし　社会・環境　国際

■ 検定料　※全て税込み

1級	2級	準2級	3級	4級	5級
7,400 円	5,300 円	4,300 円	3,800 円	3,300 円	3,200 円

━ 公式テキストで合格は目の前！ ━

ニュース検定にチャレンジするあなたを公式テキスト・問題集が応援します。これらの公式教材は毎年、最新ニュースを盛り込んで編集し直しています。公式テキストをじっくりと読み込んで、公式問題集に挑戦すれば、合格は目の前です！

━ 社会、学校とつながる検定・テキスト ━

ニュース検定や公式テキスト・問題集で学ぶと、日々のニュースや、学校の学習の理解がぐっと深まります。中学校社会科（公民的分野）、高校の公民科目の学習にもうってつけです。

■ 教科書対照表はこちら

中学・高校の教科書（主な内容）と公式テキストの対応がひと目でわかる「教科書対照表」は、ニュース検定公式サイトでご覧になれます（右の二次元コード）。

この本の構成と使い方

基本問題(2・準2級)

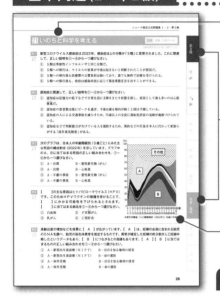

テキストの全テーマに対応

「2024年度版ニュース検定公式テキスト『時事力』発展編(1・2・準2級対応)」に準拠し、5分野の27テーマ別に問題を用意しました。公式テキストの理解度をチェックでき、弱点対策など、テーマを絞った集中的な学習に役立ちます。

自分に合った級選び

問題を級別に掲載しているため、同じ分野・テーマで級ごとの難易度を見比べることができます。得意分野・不得意分野の確認や、自分に合った級選びにも役立ちます。

グラフや図表を読み解く

グラフや図表から時事問題を読み解く問題も多数掲載しました。多角的な時事力が身につきます。

読解・活用問題(1・2・準2級)

「思考力・判断力・表現力」の育成に

1・2・準2級に対応した「読解・活用問題」を掲載しています。本番の検定問題も、一部はこうした形式です。大学入学共通テストでは「思考力・判断力・表現力」がより重視され、さまざまな資料などから情報を読み解く問題が頻出しています。読解・活用問題に取り組むことで、こうした力を養うことができます。

正解と解説

問題の考え方や背景を丁寧に解説

答えだけでなく、考え方や背景も含めて解説しています。解説末尾には、「2024年度版ニュース検定公式テキスト『時事力』発展編(1・2・準2級対応)」の参照ページを示しています。公式テキストと合わせて学習することで、より理解が深まります。

■この本で使う用語(人名や団体名、地名などを含む)は原則、一般の新聞・テレビのニュースで日ごろ使われている表記や略称にならっています。ただし、報道機関によって異なる場合は、毎日新聞の表記にならっています。一部の用語はその問題で初めに出てきた時に限り正式名称を使っています。海外の

できごとの日付は原則として、現地時間に基づきます。
■この本の内容は、原則として2023年末までのニュースに基づいて編集しています。ただし、一部のテーマはそれ以降の動きも踏まえています。出題する問題は、特に記載のない限り、日本国内の事柄を対象としています。

2024年度版
ニュース検定公式問題集

準2級

1 私たちの民主主義

正解 100ページ

(☞公式テキスト8～11ページ)

問1 選挙制度や投票率について、正しい説明を①～④から一つ選びなさい。

① 成人年齢が18歳に引き下げられたことに伴い、選挙に立候補できる年齢が「18歳以上」になった。

② 仕事などの理由で投票日当日に投票できない有権者は、「期日前投票」の制度を使って、選挙人名簿登録地で投票日よりも前に投票することができる。

③ 候補者の中で、一定割合以上の票を得た人が誰もいなかった場合は、得票数上位2人による「決選投票」が実施される。

④ 近年の国政選挙で、「60～70代」の投票率は全体平均（おおむね50％台）を大きく下回り、低迷が続いている。

問2 選挙に関係する「アダムズ方式」とは、どのような数値を求めるための計算方法ですか。例として正しいものを①～④から一つ選びなさい。

① 年代別の推計投票率
② 比例代表選挙での各党の獲得議席数
③ 都道府県別の小選挙区の定数
④ 政党別の予測獲得議席数

問3 女性の政治参加や、「政治分野における男女共同参画推進法」（2018年施行）について、正しい説明を①～④から一つ選びなさい。

① 普通選挙法の成立（1925年）後初の衆議院議員選挙の結果、日本初の女性議員が誕生した。

② 女性議員の割合は、参議院のほうが衆議院よりも高い（2023年末時点）。

③ この法律により、将来、選挙の当選者数が「男女同数」となることが決まった。

④ この法律が対象としているのは国政選挙だけで、地方選挙は対象外だ。

問4 衆議院議員選挙で導入されている小選挙区制と比例代表制の特徴や、選挙の原則について、正しい説明を①～④から一つ選びなさい。

① 小選挙区制は、比例代表制と比べて死票を多く生みやすいとされる。

② 比例代表制は、小選挙区制と比べて小党分立になりにくいとされる。

③ 普通選挙とは、有権者が投票内容を他人に知られずに投票できる原則のことだ。

④ 平等選挙とは、財産や納税額に関係なく、一定の年齢に達すれば投票できる原則のことだ。

問5 選挙での「1票の格差」を説明した右の囲みを読んで、【 ア 】～【 ウ 】に当てはまるものの正しい組み合わせを、①～④から一つ選びなさい。

A（1）8万人	B（2）18万人		D（1）6万人
C（2）24万人		E（1）4万人	凡例 選挙区名（定数）有権者数

上の図で「1票の格差」は最大【 ア 】倍だ。最大格差を是正して「2倍以下」にするには例えば、
・【 イ 】選挙区の定数を1ずつ増やす
・「合区」を導入して【 ウ 】選挙区を一つにまとめ、定数を1にする
――などの方法が考えられる。

	ア	イ	ウ
①	3	A、D	A、C
②	3	B、C	D、E
③	6	B、C	A、C
④	6	A、D	D、E

② 日本政治の現在地

正解 100ページ

（☞公式テキスト12〜15ページ）

問1 「政治とカネ」に関する次の囲みを読んで、【　A　】【　B　】に当てはまる言葉の正しい組み合わせを①〜④から一つ選びなさい。

> ・企業や団体が【　A　】に献金することは、法律で禁じられている。
> ・議員数など一定の要件を満たす政党には、国から【　B　】が渡される。

① A－政治家個人　　　　B－政党交付金

② A－政治家個人　　　　B－政務活動費

③ A－政党や政党支部　　B－政党交付金

④ A－政党や政党支部　　B－政務活動費

問2 政府が普及を進めているマイナンバーカード（マイナカード）＝写真は見本・デジタル庁提供＝に関連して、正しい説明を①〜④から一つ選びなさい。

① マイナカードを取得すると、例えばコンビニエンスストアで公的な証明書（住民票の写しなど）を入手できるようになる。

② 緊急時に公的な給付金をスムーズに支給できるよう、預貯金口座を登録することがマイナカード保有者に義務づけられている。

③ マイナンバーを巡るトラブルが相次いだため、マイナカードの保有率（人口に対する保有枚数の割合）は5割を下回っている。

④ マイナカードと健康保険証を一体化した「マイナ保険証」への切り替え（2024年12月予定）後、マイナ保険証を持たない人は保険診療を受けられなくなる。

表面

裏面

問3 国会や国会議員について、正しい説明を①〜④から一つ選びなさい。

① 通常国会の会期を延長することは法律上、認められていない。

② 衆参各議院は、国政に関する調査をするため証人に出頭、証言を求めることができる。

③ 衆議院と参議院が異なる議決をした法案は、両院協議会で意見が一致しない限り、廃案となる。

④ 国会議員には「不逮捕特権」が認められているため、現職の国会議員が逮捕された例はない。

問4 国会と内閣の関係について、正しい説明を①〜④から一つ選びなさい。

① 内閣総理大臣と全ての国務大臣は国会議員でなくてはならない、と日本国憲法で定められている。

② 国会議員だけでなく、内閣も国会に法案を提出することができる。

③ 内閣が国会に提出する予算案は、衆議院よりも先に参議院で審議される決まりだ。

④ 衆議院が内閣不信任決議案を可決するには、総議員の3分の2以上の賛成が必要だ。

問5 戦後の政党政治について、正しい説明を①〜④から一つ選びなさい。

① 「55年体制」の下、自民党と社会党（現在の社民党）が政権交代を繰り返した。

② 自民党政権は一貫して他党との連立で、単独政権の経験はない。

③ 衆議院の第1党ではない政党の党首が首相に就任した例がある。

④ 自民党から政権交代した民主党（当時）は、立憲民主党と国民民主党が合併してできた政党だ。

③ 日本国憲法の行方

正解　100、101ページ

（☞公式テキスト16〜19ページ）

問1 国民投票法に基づき【　A　】に置かれた憲法審査会は、【　B　】。【　A　】【　B　】に当てはまるものの正しい組み合わせを、①〜④から一つ選びなさい。

① A – 衆参両議院　　B – 日本国憲法の改正原案の審査などを担います

② A – 衆議院のみ　　B – 一度も開かれたことがありません

③ A – 衆参両議院　　B – 一度も開かれたことがありません

④ A – 衆議院のみ　　B – 日本国憲法の改正原案の審査などを担います

問2 天皇に関する日本国憲法の規定や皇位継承について、正しい説明を①〜④から一つ選びなさい。

① 憲法には、天皇は「元首」だと明記されている。

② 天皇は国事行為の一つとして、憲法改正を承認する。

③ 憲法には「皇位を継承できるのは男系男子だけだ」と明記されている。

④ 皇室制度を維持する観点から、「女性宮家」を創設すべきだ、との主張がある。

東日本大震災の被災地を訪問された天皇、皇后両陛下＝岩手県で2023年6月

問3 日本国憲法9条や自衛隊に関連して、正しい説明を①〜④から一つ選びなさい。

① 平和主義を3大原理の一つとする憲法には、「集団的自衛権の行使を認めない」と明記されている。

② 下級裁判所も含めて、「自衛隊は憲法違反（違憲）だ」との司法判断が示されたことはない。

③ 政府は自衛隊について、「自衛のための必要最小限度の実力組織であって、『戦力』には当たらない」として、憲法違反ではない（合憲）と位置づけている。

④ 自民党は現在、「自衛隊を『国防軍』と位置づけて、その存在を明記する」との改憲案を掲げている。

問4 日本国憲法を「国の最高法規」と定めている憲法の前文または条文の一部要約として正しいものを、①〜④から一つ選びなさい。

① この憲法は「国政は国民の厳粛な信託による」という人類普遍の原理に基づく。

② 国会は、国権の最高機関であって、国の唯一の立法機関だ。

③ この憲法の条項に反する法律などは、効力を持たない。

④ 公務員は、この憲法を尊重し擁護する義務を負う。

問5 「憲法は、主権者である国民が国家権力を縛り、国民の自由と権利を守るためにある」という考え方を、一般に何といいますか。正しい言葉を①〜④から一つ選びなさい。

① 覇権主義

② 自由主義

③ 原理主義

④ 立憲主義

④ 日本外交の針路は

正解 101ページ

（☞公式テキスト20〜23ページ）

問1 新旧の日米安全保障条約について、正しい説明を①〜④から一つ選びなさい。

① 旧条約は、ポツダム宣言の受諾と同時に結ばれた。

② 旧条約に対して、最高裁判所が「違憲だ」と判断したことがある。

③ 旧条約から新条約への改定は、佐藤栄作内閣の時になされた。

④ 新条約には、米国が日本を防衛する義務が明記されている。

問2 日本と中国の関係などについて、正しい説明を①〜④から一つ選びなさい。

① 両国の国交は、「日中平和友好条約」の後に署名された「日中共同声明」によって正常化した。

② 中国との国交正常化に伴って、日本は台湾（中華民国）とも国交を結んだ。

③ 中国が尖閣諸島（沖縄県）の領有権を公式に主張し始めたのは、日本政府による尖閣諸島の国有化（2012年）以降のことだ。

④ 米国は尖閣諸島について、米国が日本を防衛する義務を定めた「日米安全保障条約」が適用される、との見解を示している。

問3 【 A 】「日ソ共同宣言」（1956年）には、将来的に「【 B 】を日本に引き渡す」ことが明記されています。【 A 】【 B 】に当てはまる文言の正しい組み合わせを①〜④から一つ選びなさい。

① A − 日本の国連加盟につながった　　B − 北方領土の4島全て

② A − 日本の国連加盟につながった　　B − 歯舞群島と色丹島

③ A − 日本とソ連の平和条約である　　B − 北方領土の4島全て

④ A − 日本とソ連の平和条約である　　B − 歯舞群島と色丹島

問4 日本と朝鮮半島の関係について、正しい説明を①〜④から一つ選びなさい。

① 日朝首脳会談（2002年）で、北朝鮮は日本人を拉致した事実を認めた。

② 北朝鮮の核実験を受けて、日本は北朝鮮との日朝平壌宣言（2002年）を一方的に破棄した。

③ 日本政府は島根県の竹島（韓国名・独島）＝写真＝について「領土問題は存在しない」との立場だ。

④ 日韓関係は、韓国政府が示した「徴用工問題」の解決策（2023年）に日本政府が反発したことで悪化した。

問5 国家の領域について、正しい説明を①〜④から一つ選びなさい。

① 国家の主権が及ぶ領域は、領土、領海、領空から成る。

② 領海とは、自国の沿岸から200カイリ（約370キロ）までの水域を指す。

③ 接続水域は、領海の内側に設定される。

④ 領空とは一般に、領土の上空に限られ、領海の上空は含まれない。

準2級
2級
1級
政治
経済
暮らし
社会 環境
国際
正解

⑤ 大転換の防衛政策

正解 101、102ページ

(☞公式テキスト24、25ページ)

問1 次の囲みは、政府が2022年末に決めた防衛政策の方針をまとめたものです。これを読んで、
【　A　】【　B　】に当てはまる文言の正しい組み合わせを①～④から一つ選びなさい。

・防衛費を増やし、関連経費と合わせて2027年度に【　A　】2％とする。
・相手国のミサイル発射拠点などをたたく「反撃能力」（敵基地攻撃能力）を保有する。【　B　】。

①　A－国の当初予算（一般会計）に占める割合を
　　B－これまで基本方針としてきた「専守防衛」は堅持する
②　A－国の当初予算（一般会計）に占める割合を
　　B－反撃能力を、これまでの基本方針だった「専守防衛」の例外と位置づける
③　A－国内総生産（GDP）比で
　　B－これまで基本方針としてきた「専守防衛」は堅持する
④　A－国内総生産（GDP）比で
　　B－反撃能力を、これまでの基本方針だった「専守防衛」の例外と位置づける

問2 防衛政策に関連して、正しい説明を①～④から一つ選びなさい。
①　政府が行使を限定的に容認している「集団的自衛権」とは、自国と密接な関係にある国が攻撃された時、自国が攻撃されていなくても反撃できる権利のことだ。
②　核兵器に関する基本方針である「非核三原則」は、「核兵器を持たず、作らず、持ち込ませず」と明記した法律によって規定されている。
③　防衛装備品（武器や関連技術）の輸出は、「防衛装備移転三原則」によって全面的に禁じられている。
④　防衛を担う自衛隊は、日本国憲法の施行と同時に発足した。

問3 在日米軍について、正しい説明を①～④から一つ選びなさい。
①　在日米軍が使う施設や土地は、日米安全保障条約に基づいて日本が米国に有償で貸している。
②　在日米軍人らの日本での法的地位は、日米地位協定で定められている。
③　日米地位協定に基づいて、在日米軍基地内では日本の法律が適用される。
④　在日米軍基地のうち、沖縄県内にあるのは約1割（専用施設の面積で計算）にとどまる。

在日米軍普天間飛行場（沖縄県宜野湾市）。周囲に住宅や学校が密集し、「世界一危険な飛行場」とも呼ばれる

問4 沖縄県は条例で、6月23日を「慰霊の日」と定めています。これについて、正しい説明を①～④から一つ選びなさい。
①　1941年のこの日、太平洋戦争が始まった。
②　1945年のこの日、沖縄戦で旧日本軍の組織的な戦闘が終結した。
③　1952年のこの日、サンフランシスコ講和（平和）条約が発効した。
④　1972年のこの日、沖縄が本土復帰を果たした。

6 地方自治のいま

正解 102ページ

（☞公式テキスト26〜29ページ）

準2級

2級

1級

政治

問1 「ふるさと納税」は、応援したい地方自治体にお金を寄付すると、寄付額に応じて居住自治体などに納める税金が減額（控除）される制度です。これについて、正しい説明を①〜④から一つ選びなさい。

① 控除額には上限があり、その上限は所得などにかかわらず一律だ。

② 寄付の受け入れ額が多い自治体のほとんどは、東京などの大都市にある。

③ 制度を後押しするため、国は「地場産品に限る」といった返礼品に関する規制を緩和してきた。

④ 国が定めた返礼品のルールに違反した自治体は、制度の対象から除外される場合がある。

問2 日本国憲法には、地方自治体の組織や運営について「地方自治の本旨」に基づき法律で定める、と明記されています。地方自治の本旨は、【 A 】と【 B 】から成るとされます。【 A 】【 B 】に当てはまる言葉の正しい組み合わせを①〜④から一つ選びなさい。

① A−自治事務　　B−法定受託事務　　② A−自治事務　　B−住民自治

③ A−団体自治　　B−法定受託事務　　④ A−団体自治　　B−住民自治

問3 地方自治体の議会と首長に関連して、正しい説明の組み合わせを①〜④から一つ選びなさい。

A：議会は、自治体の行政事務を調査する「特別委員会」を設けることができる。

B：議会には、首長に対して不信任決議をする権限がある。

C：自治体の首長は、いつでも議会を解散することができる。

D：自治体の議会と首長の関係は「議院内閣制」と呼ばれる。

① AとB　　　　② AとD　　　　③ BとC　　　　④ CとD

問4 次の表は、住民が地方自治体の政治に参加する【 A 】の手続きの概要を示しています。【 A 】と、表中の【 B 】に当てはまる言葉の正しい組み合わせを、①〜④から一つ選びなさい。

内容	必要な署名	請求先
条例の制定、改廃	有権者の1/50以上	【 B 】
事務の監査		監査委員
議会の解散	有権者の1/3以上	選挙管理委員会
議員・首長の解職		
主要な職員の解職 （副知事、副市町村長、選挙管理委員、公安委員、監査委員など）		【 B 】

① A−直接請求　　B−首長

② A−直接請求　　B−人事委員会

③ A−住民投票　　B−首長

④ A−住民投票　　B−人事委員会

問5 地方自治体の財政について、正しい説明を①〜④から一つ選びなさい。

① 次のグラフの「A」に当てはまるのは「地方債」だ。

② 財政面で自治体の自立を促すことを目的とした「三位一体改革」によって、地方交付税は削減された。

③ 国庫支出金は地方交付税と同様、自治体が自由に使途を決めることができる。

④ 「3割自治」とは、財政的に十分自立している自治体が、全国の3割程度しかない状況を指す。

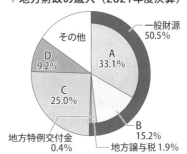

▼地方財政の歳入（2021年度決算）

一般財源 50.5%
A 33.1%
B 15.2%
地方譲与税 1.9%
地方特例交付金 0.4%
C 25.0%
D 9.2%
その他

※地方財政白書を基に作成。都道府県や市区町村などの合計。四捨五入により合計が一致しない場合がある

◼ その他のテーマ

正解　102ページ

問1　高校生のヒロトさんは、参議院議員選挙の比例代表選挙についてモデルケースを設定し、その選挙結果を考察することにしました。次の囲みは、考察のためにヒロトさんが作ったメモです。メモから読み取れる選挙結果について、正しい説明を①〜④から一つ選びなさい。

	A党	B党	C党	D党
総得票数	16万票	10万票	8万票	5万票
÷1	16万	10万	8万	5万
÷2	8万	5万	4万	2万5000
÷3	5万3333…	3万3333…	2万6666…	1万6666…
÷4	4万	2万5000	2万	1万2500
…	…	…	…	…

・「A、B、C、Dという架空の4政党が比例代表で7議席を争う」というモデルケースを設定し、総得票数は次の表のように仮定した。
・議席はドント式に基づいて配分した。ドント式は、各党の総得票数を整数で順に割り、その商の大きい順に議席を配分する方法だ。
・特定枠はいずれの政党も設けないこととした。特定枠は、政党が候補者名簿上で「特定枠」に指定した候補者が、他の候補者に優先して当選する仕組みだ。

① A党とB党だけで議席を分け合った。

② D党は議席を獲得できなかった。

③ 総得票数に差があっても獲得議席数が同じ政党があった。

④ A党で3番目に当選した候補者は、B党で2番目に当選した候補者より個人得票数が多かった。

問2　「政治と宗教」に関連して、正しい説明を①〜④から一つ選びなさい。

① 日本国憲法には「政教分離」の原則が盛り込まれており、同様の規定は大日本帝国憲法（明治憲法）にもあった。

② 近隣諸国への配慮から、現職の首相が靖国神社（東京都）に参拝した例はない。

③ 地方自治体の事務（予算執行など）について、政教分離の観点から違憲だ、との判断を最高裁判所が示した例がある。

④ 法律に基づいて、法令違反を理由に裁判所から解散を命じられた宗教法人は過去にない。

問3　特定の利益（社会的立場や職業ごとの利益）の実現を目指し、政府や政党などに働きかける集団を【　A　】といいます。大企業などが加盟する「日本経済団体連合会（経団連）」や、労働組合の全国組織「日本労働組合総連合会（連合）」などがその例です。また、【　A　】による働きかけを【　B　】といいます。【　A　】【　B　】に当てはまる言葉の正しい組み合わせを①〜④から一つ選びなさい。

① A−圧力団体　　　B−カルテル　　　② A−圧力団体　　　B−ロビー活動

③ A−独立行政法人　B−カルテル　　　④ A−独立行政法人　B−ロビー活動

問4　「知る権利」や情報公開法（1999年成立）に関連して、正しい説明を①〜④から一つ選びなさい。

① 知る権利は一般に、「表現の自由」を根拠の一つとして導かれている。

② 知る権利は、基本的人権の一つとして日本国憲法に明記されている。

③ 情報公開法に基づく開示請求があった場合、行政機関は当該公文書の全部を例外なく開示しなければならない。

④ 情報公開法の制定をきっかけに、各地の地方自治体で情報公開条例を制定する動きが広がった。

7 足踏みする日本経済

正解 103ページ

(☞公式テキスト32〜35ページ)

問1 国内総生産（ＧＤＰ）について、正しい説明を①〜④から一つ選びなさい。

① ＧＤＰは「一定期間に一国の国民が国内外で生み出した付加価値の合計額」と定義される。

② 一般に、1年間のＧＤＰが前年から増減した割合を、経済成長率という。

③ 「名目ＧＤＰ」とは、物価変動の影響を除いて算出した指標のことだ。

④ ＧＤＰを算出する際、その国の輸出入額は計算の対象とされない。

問2 近年の日本の名目国内総生産（ＧＤＰ、年度）は、【　　　】兆円台で推移しています。【　　　】に当てはまる数字を①〜④から一つ選びなさい。

① 400　　　　② 500　　　　③ 600　　　　④ 700

問3 物価に関連して、正しい説明を①〜④から一つ選びなさい。

① 1990年代半ば以降、日本ではインフレーションの傾向が続いてきた。

② 物価の抑制が必要な場合、中央銀行は一般に金融緩和を実施する。

③ 近年の国内の物価高の背景には例えば、円安が加速したことで輸入品を中心に物価が押し上げられたことが挙げられる。

④ 「デフレスパイラル」とは、物価が急激かつ制御不能な状態で上昇することだ。

問4 東京株式市場の日経平均株価（取引終了時の終値）は2024年2月、【　Ａ　】時に記録した史上最高値（3万8915円）を更新しました。日経平均株価は、日本の【　Ｂ　】の株価の平均のことです。【　Ａ　】【　Ｂ　】に当てはまる言葉の正しい組み合わせを、①〜④から一つ選びなさい。

① Ａ−プラザ合意　　Ｂ−全ての企業　　② Ａ−プラザ合意　　Ｂ−代表的な一部の企業

③ Ａ−バブル景気　　Ｂ−全ての企業　　④ Ａ−バブル景気　　Ｂ−代表的な一部の企業

問5 中央銀行としての日本銀行の役割について、誤っている説明を①〜④から一つ選びなさい。

① 「唯一の発券銀行」として、銀行券（紙幣）の発行に加え、硬貨の製造も担う。

② 「政府の銀行」として、国庫のお金の出し入れの管理や、国債の償還などの事務を担う。

③ 「銀行の銀行」として、民間銀行からの預金の受け入れ、貸し出しを担う。

④ 「最後の貸手」として、民間銀行の資金繰り悪化の際に資金の供給を担う。

2024年7月に発行される新紙幣

問6 日本銀行は2013年以降、大規模な金融緩和策を実施してきました。これに関する次のＡ〜Ｃについて、正しい説明の過不足ない組み合わせを①〜④から一つ選びなさい。

Ａ：前例のない規模の金融緩和策が実施されたことから、「異次元緩和」とも呼ばれる。

Ｂ：金融緩和策の一環として、国債などを金融機関から買う「買いオペレーション」を実施した。

Ｃ：金融緩和策と合わせて、機動的な財政政策にも取り組んできた。

① ＡとＢ　　　② ＡとＣ　　　③ ＢとＣ　　　④ ＡとＢとＣ（全て正しい）

8 借金頼みの財政

正解 103ページ

(☞公式テキスト36～39ページ)

問1 政府の2024年度当初予算案（一般会計）について、正しい説明を①～④から一つ選びなさい。

① 一般会計の総額は、当初予算として初めて100兆円を超えた。

② 歳出の内訳のうち、最も多くを占めるのは「社会保障費」だ。

③ 歳出の内訳のうち、近年巨額計上が続いていた「予備費」はゼロになった。

④ 歳入の内訳のうち、「新規国債発行」（新たな借金）の割合は1割未満だ。

問2 財政制度について、正しい説明を①～④から一つ選びなさい。

① 日本国憲法は、内閣総理大臣が国の予算（案）を作成し、国会に提出すると定めている。その際、閣議決定は必要ない。

② 予算は一般会計、特別会計に分かれ、特別会計予算の編成に国会の議決は必要ない。

③ 当初予算の成立後、追加の財政支出が必要となった時は「暫定予算」が組まれる。

④ 新たに国税を課すには、法律を制定しなくてはならない。憲法はこうした「租税法律主義」を定めている。

問3 国債について、正しい説明を①～④から一つ選びなさい。

① 歳入不足を補うための赤字国債を発行するには、特例法の制定が必要だ。

② 戦後の日本で赤字国債が初めて発行されたのは、バブル経済崩壊後の1990年代だ。

③ 財政法は、日本銀行が政府から国債を直接引き受ける「市中消化の原則」を定めている。

④ 公共事業費を賄うための建設国債は財政法で禁じられているため、「特例国債」と呼ばれる。

問4 税制に関連して、正しい説明を①～④から一つ選びなさい。

① 日本の税制はシャウプ勧告（1949年）により、直接税中心主義から間接税中心主義に改められた。

② 税収が特に多い消費税、所得税、法人税は、国税における「基幹税」と位置づけられている。

③ 「担税力」（税金を負担する能力）がある人ほど、より多くの税金を負担すべきだという考え方を「水平的公平」という。

④ 消費税の「逆進性」とは一般に、所得の高い人ほど所得に占める消費税の負担割合が高くなる傾向を意味する。

問5 次の文章中の【　A　】【　B　】に当てはまる言葉の正しい組み合わせを、①～④から一つ選びなさい。

　　財政の三つの機能（資源配分、所得の再分配、景気の安定）のうち、日本における所得再分配政策の一例は【　A　】に対する累進税率の適用だ。

　　政策の効果は例えば、所得格差を表す指標の一つである「ジニ係数*」の変化によって測られる。下の表の3カ国のうち、当初所得における格差が再分配政策で最も縮小したのは【　B　】だ。　*ジニ係数……係数の範囲は0～1で、「0」に近いほど格差が小さく、「1」に近いほど格差が大きい状態を表す。

① A－所得税　　B－P国
② A－所得税　　B－Q国
③ A－消費税　　B－P国
④ A－消費税　　B－R国

	P国	Q国	R国
当初所得のジニ係数	0.8	0.6	0.6
再分配所得のジニ係数	0.4	0.5	0.4

⑨ 混迷する世界経済

正解 103、104ページ

（☞公式テキスト40〜43ページ）

問1 米連邦準備制度理事会（FRB）について、正しい説明を①〜④から一つ選びなさい。

① 日本の「財務省」と同様の役割を担っている。

② リーマン・ショック（世界金融危機）後、米国経済を立て直すことを目的に設立された。

③ 「IMF」と呼ばれる会合を年数回開いて、政策を決定する。

④ FRBの決定の影響はしばしば、米国内にとどまらず日本や欧州など世界経済に波及する。

FRBのトップ（議長）を務めるパウエル氏

問2 次の文章中の【 A 】〜【 C 】に当てはまる言葉の正しい組み合わせを、①〜④から一つ選びなさい。

　　多くの国で、為替市場での需要と供給のバランスによって為替相場が常に変動する仕組み（変動相場制）が採用されている。このため、金利の【 A 】国にお金が流れる傾向にある。お金は金利の【 A 】国で運用するほうが利益が大きくなるからだ。

　　例えば、2022年3月以降、米連邦準備制度理事会（FRB）が急速な利上げを行う一方、日本は金融緩和を維持したため、日米の金利差は【 B 】してきた。その結果、【 C 】を買う人が増え、円安・ドル高が進む要因になった。

① A－高い　　　B－拡大　　　C－円よりもドル

② A－高い　　　B－拡大　　　C－ドルよりも円

③ A－低い　　　B－拡大　　　C－円よりもドル

④ A－低い　　　B－縮小　　　C－ドルよりも円

問3 経済分野における米国と中国の対立に関連して、正しい説明を①〜④から一つ選びなさい。

① 米国は中国に対して貿易黒字の状態が続いている。

② 対立の発端は、米国が知的財産権を侵害したとして中国が追加関税を発動したことだ。

③ 両国の対立は、互いに制裁関税をかけ合う状態から、ハイテク産業を巡る争いに発展した。

④ 「貿易戦争」と呼ばれる状態に陥って以降、中国の実質国内総生産（GDP）はマイナス成長が続いている。

問4 デジタル通貨に関する次のA、Bについて、正誤の正しい組み合わせを①〜④から一つ選びなさい。

A：インターネットなどで取引される電子通貨をまとめた呼び方で、広い意味では仮想通貨（暗号資産）や電子マネーも含まれる。

B：中央銀行が発行するデジタル通貨（CBDC）に関する研究が既に多くの国・地域で実施されているが、運用上の課題が多いことから、実際にCBDCの発行に至った例はない。

① A－正　　　B－正

② A－正　　　B－誤

③ A－誤　　　B－正

④ A－誤　　　B－誤

準2級
2級
1級
経済

⑩ 揺らぐ自由貿易体制

正解 104ページ

（☞公式テキスト44～47ページ）

問1 次のア～ウのうち、自由貿易協定（ＦＴＡ）と経済連携協定（ＥＰＡ）の共通点に当てはまるものはどれですか。過不足ないものを①～④から一つ選びなさい。

ア：二つ以上の国・地域の間で結ばれる。

イ：貿易自由化を進めるためのルールだ。

ウ：関税の削減・撤廃のほか、知的財産権保護や電子商取引などに関する共通ルールも含まれる。

① アのみ　　　　② アとイ　　　　③ イのみ　　　　④ イとウ

問2 環太平洋パートナーシップ協定（ＴＰＰ、2018年発効）について、誤っている説明を①～④から一つ選びなさい。

① 経済連携協定（ＥＰＡ）に分類される。

② 日本にとって貿易額が大きい、中国、米国、韓国が参加している。

③ 新たに英国が参加することが正式に決まった（2023年）。

④ 日本が参加する他の自由貿易圏と比べて、関税撤廃率が高い。

問3 世界貿易機関（ＷＴＯ）について、正しい説明を①～④から一つ選びなさい。

① 「ケネディ・ラウンド」（ラウンド＝多角的貿易交渉）での合意に基づいて発足した。

② 自由貿易体制のルールづくりを担っていた「関税貿易一般協定（ＧＡＴＴ）」を受け継いで発足したＷＴＯでは、ＧＡＴＴ時代にあった貿易紛争の処理機能が廃止された。

③ ＷＴＯの多角的貿易交渉が難航しているため、特定の国や地域間での経済連携協定（ＥＰＡ）などの締結が重視されるようになってきている。

④ 中国とロシアは加盟していない。

問4 日米欧などは2022年、ウクライナに侵攻したロシアへの経済制裁の一環として、貿易上の優遇措置である「【　Ａ　】待遇」を撤回しました。【　Ａ　】待遇は世界貿易機関（ＷＴＯ）の基本原則の一つで、「ある国に与えた関税引き下げなどの有利な貿易条件は、【　Ｂ　】に適用する」という考え方です。【　Ａ　】【　Ｂ　】に当てはまるものの正しい組み合わせを、①～④から一つ選びなさい。

① Ａ－最恵国　　　　Ｂ－特定の国だけでなく、全ての加盟国

② Ａ－最恵国　　　　Ｂ－経済的な結びつきの深い国だけ

③ Ａ－内国民　　　　Ｂ－特定の国だけでなく、全ての加盟国

④ Ａ－内国民　　　　Ｂ－経済的な結びつきの深い国だけ

問5 知的財産権の保護に関連する次のＡ～Ｃについて、正誤の正しい組み合わせを①～④から一つ選びなさい。

Ａ：新たな製造技術を発明して「特許権」を得ると、その技術を一定期間独占して商品を販売できる。

Ｂ：国内には、「神戸ビーフ」のように産地と結びついた農産物などの地理的表示（ＧＩ）を生産者団体などの知的財産権として保護する制度がある。

Ｃ：「著作者の死後○年」という著作権の保護期間は文化や芸術、科学技術の根幹に関わるため、外国との経済連携協定（ＥＰＡ）で共通ルールを定めることは法律で禁じられている。

① Ａ－誤　　Ｂ－誤　　Ｃ－正　　　　② Ａ－誤　　Ｂ－正　　Ｃ－正

③ Ａ－正　　Ｂ－誤　　Ｃ－誤　　　　④ Ａ－正　　Ｂ－正　　Ｃ－誤

11 日本産業のいま

正解 104、105ページ

（☞公式テキスト48～51ページ）

問1 日本を訪れる外国人旅行客（訪日客）について、正しい説明を①～④から一つ選びなさい。

① 2023年の訪日客数は、過去最高だった2019年（3188万人）を超えた。

② 2023年の訪日客の出身国・地域で最も多いのは「中国」だ。

③ 急速に進んだ円安（2022年～）は、訪日客による「インバウンド需要」を冷え込ませる作用がある。

④ 観光地に旅行客が過度に集中することで公共交通機関が混雑するといった問題が生じることを「オーバーツーリズム」という。

多くの訪日客＝ＪＲ京都駅で2023年7月

問2 ベースアップ（ベア）について、正しい説明を①～④から一つ選びなさい。

① 年齢や勤続年数などに応じて、定期的に昇給することだ。

② 企業が従業員の基本給を底上げすることだ。

③ その年の業績に応じて、従業員の賞与（ボーナス）を引き上げることだ。

④ 物価上昇時には一般に、多くの労働組合はベアに反対する傾向にある。

問3 台湾企業「ＴＳＭＣ」の日本初となる製造工場が、熊本県に建設されました（第1工場が2023年末に完成）。ＴＳＭＣの主要製品は経済安全保障の観点から近年、その重要性がますます高まっています。この主要製品を①～④から一つ選びなさい。

① 半導体　　　② 自動車　　　③ 船舶　　　④ 石油製品

問4 産業構造の特徴に関する次のＡ～Ｃについて、正誤の正しい組み合わせを①～④から一つ選びなさい。

Ａ：国の経済発展に伴い、産業全体に占める第1次産業の割合は次第に低くなり、第2次産業、次いで第3次産業の割合が高まっていくとされる。これは「ペティ＝クラークの法則」と呼ばれる。

Ｂ：就業者数を産業別にみると、第2次産業よりも第3次産業のほうが少ない（2022年）。

Ｃ：中小企業の数は、大企業を含めた企業全体の9割超を占める。

① Ａ－正　　Ｂ－正　　Ｃ－誤　　　② Ａ－正　　Ｂ－誤　　Ｃ－正

③ Ａ－誤　　Ｂ－正　　Ｃ－誤　　　④ Ａ－誤　　Ｂ－誤　　Ｃ－正

問5 日本の農業や食料自給率などについて、正しい説明を①～④から一つ選びなさい。

① 企業が農業経営をすることは、法律で禁じられている。

② 国内で開発された特定のブランド農産物の種や苗木を無断で海外へ持ち出すことは、法律で禁じられている。

③ 第1次産業の人手不足を背景に、農林水産物・食品の輸出額は年々減っている。

④ 食料自給率（カロリーで計算）は近年、60％台で推移している。

問6 次のＡ～Ｅのうち、一般的に「ゼロエミッション車」はどれを指しますか。過不足ないものを①～④から一つ選びなさい。

Ａ：電気自動車（ＥＶ）　　Ｂ：ハイブリッド車（ＨＶ）　　Ｃ：燃料電池車（ＦＣＶ）

Ｄ：ガソリン車　　　Ｅ：ディーゼル車

① Ａのみ　　　② ＡとＢとＣ　　　③ ＡとＣ　　　④ ＢとＤとＥ

準2級
2級
1級
政治
経済
くらし
社会・環境
国際

12 脱炭素社会への道のり

正解 105ページ

（☞公式テキスト52〜55ページ）

問1 日本のエネルギー政策のうち、政府が「2030年度まで」の達成を掲げるものはどれですか。正しいものを①〜④から一つ選びなさい。

① 温室効果ガスの排出量を実質ゼロにする。

② 全ての石炭火力発電所を廃止する。

③ 法律で定められた運転期間の上限（40年）に達した原子力発電所を、全て廃炉にする。

④ 電源構成に占める再生可能エネルギーの割合を高め、主力電源化する。

問2 次の①〜④はいずれも、脱炭素社会の実現に向けて実施されている制度や政府が掲げる方針です。これらのうち、「カーボンプライシング」の取り組み例に当てはまるものを、一つ選びなさい。

① 家庭や企業が再生可能エネルギー（再エネ）を使って発電した電力を電力会社が買い取り、その費用の一部を、賦課金として電気料金に上乗せする。

② 二酸化炭素（CO_2）に値段を付け、企業に対して排出量に応じた負担を求める。

③ CO_2の排出削減対策がとられていない石炭火力発電所を新たに建設することを禁じる。

④ 燃焼時にCO_2を出さない「アンモニア」「水素」を、石炭や天然ガスに混ぜて燃やすこと（混焼）などによって、火力発電所から出るCO_2を減らす。

問3 原子力規制委員会（規制委）や、原子力発電所の「新規制基準」に関する次のA〜Cについて、正しい説明の過不足ない組み合わせを①〜④から一つ選びなさい。

A：規制委は、東京電力福島第1原発事故（2011年）よりも前に発足した。

B：福島の事故を教訓に、規制委は原発の立地や運転の要件を盛り込んだ「新規制基準」を定めた。

C：国内の原発は、規制委が「新規制基準に適合している」と認めない限り、運転や再稼働ができない決まりだ。

① AとB　　② AとC　　③ BとC　　④ AとBとC（全て正しい）

問4 原子力関連施設の建設地として適しているか否かを判断する第1段階の調査が、北海道の寿都町、神恵内村で実施され、2024年2月に報告書案が公表されました。次の図中の①〜④のうち、どの施設に関する調査ですか。正しいものを一つ選びなさい。

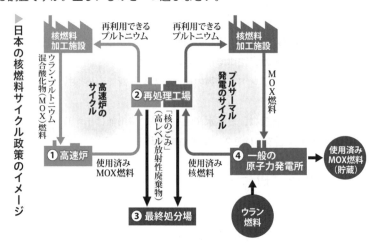

◉ その他のテーマ

正解 105ページ

準2級 2級 1級 準2級 経済

問1 2024年2月に書かれた次の文章中の【 A 】～【 C 】のうち、【 A 】【 C 】に当てはまる国名の正しい組み合わせを、①～④から一つ選びなさい。

> 日本の2023年の名目国内総生産（GDP）の速報値は、591兆4820億円だった。円ベースの金額では過去最高額となったが、ドルに換算した金額では【 A 】を下回り、GDPの世界ランキングで4位に転落した。日本は1968年以降、資本主義国としては【 B 】に次ぐ「世界2位の経済大国」だった。しかし、1990年代以降は経済の低迷が続き、2010年には台頭する【 C 】にその座を明け渡した。

① A－ドイツ　C－インド
② A－ドイツ　C－中国
③ A－英国　　C－インド
④ A－英国　　C－中国

問2 岸田文雄内閣が掲げる「新しい資本主義」とは、これまでの【 A 】主義的な経済政策が格差や貧困などの問題を悪化させたとの指摘を踏まえ、「【 B 】」を重視する考え方のことです。【 A 】【 B 】に当てはまる言葉の正しい組み合わせを、①～④から一つ選びなさい。

① A－マルクス　　B－市場原理に基づく競争
② A－マルクス　　B－経済成長と分配
③ A－新自由　　　B－市場原理に基づく競争
④ A－新自由　　　B－経済成長と分配

問3 「環太平洋パートナーシップ協定（TPP）」や「地域的な包括的経済連携（RCEP）協定」の交渉で、日本が関税撤廃の例外扱いを求めた農産物の「重要5項目」に当てはまらないものを、①～④から一つ選びなさい。

① コメ　　　② 麦　　　③ オレンジ　　　④ 牛・豚肉

問4 次の図は、主な地域的経済統合や経済連携、通商交渉の枠組みなどを示しています。図中の【 ア 】～【 ウ 】のうち、【 ア 】に当てはまるものを、①～④から一つ選びなさい。

① RCEP
② TPP
③ BRICS（ブリックス）
④ ASEAN（アセアン）

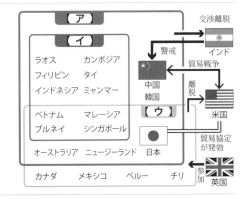

問5 株式会社や企業に関連して、正しい説明を①～④から一つ選びなさい。

① 株式会社を作る際、会社に出資する人（株主）と経営する人（経営者）は同じである必要がある。
② 株式会社が借金を抱えて倒産した場合、株主は会社の借金を全て肩代わりする必要がある。
③ 企業の「コンプライアンス」とは一般に、株主にとっての利益をどのような手を使ってでも追求することを指す。
④ 「ディスクロージャー」制度とは、企業が経営や財務状況といった情報を、投資家などに開示することだ。

13 加速する人口減少

正解 106ページ

(☞公式テキスト58〜61ページ)

問1 国立社会保障・人口問題研究所の将来推計人口（2023年公表）によると、日本の総人口は2070年に今より約【　A　】少ない8700万人まで落ち込みます。将来推計人口は、5年ごとに実施される【　B　】を基に算出されています。【　A　】【　B　】に当てはまるものの正しい組み合わせを、①〜④から一つ選びなさい。

① A－3割　　B－国勢調査
② A－3割　　B－労働力調査
③ A－1割　　B－国勢調査
④ A－1割　　B－労働力調査

問2 日本の人口に関する概念や動向について、正しい説明を①〜④から一つ選びなさい。

① 「生産年齢人口」とは一般に、高校を卒業した18歳以上の人口を指す。
② 人口の「自然減」とは、出生数が前年を下回ることを意味する。
③ 出生数は減少傾向にあり、近年は年間100万人を下回っている。
④ 100歳以上の高齢者を男女別でみると、その数はほぼ同数だ。

問3 次のA〜Cは、日本人の平均寿命に関する説明です。これらの正誤の正しい組み合わせを、①〜④から一つ選びなさい。

A：平均寿命とは、その年に生まれた0歳児が平均して何歳まで生きられるかを推測した値だ。
B：高齢化が進んだ一因は、平均寿命が世界トップクラスになるほど延びたことだ。
C：平均寿命は男女とも2022年までの10年間、延び続けている。

① A－正　　B－正　　C－正
② A－正　　B－正　　C－誤
③ A－正　　B－誤　　C－正
④ A－誤　　B－正　　C－正

問4 次のグラフは、主な国の高齢化の進行に関するデータを示しています（推計を含む）。A〜Dのうち日本はどれですか。正しいものを①〜④から一つ選びなさい。

① A
② B
③ C
④ D

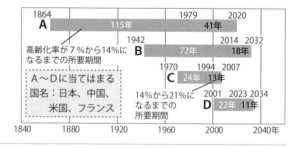

問5 「2025年問題」とは、2025年にどのようなことが起きると見込まれることですか。正しい説明を①〜④から一つ選びなさい。

① 国の借金残高が初めて1000兆円を超える。
② 「団塊の世代」が全員、75歳以上となる。
③ 高齢化率が40％を超える。
④ 総人口が1億人を割る。

14 社会保障のこれから

正解 106ページ

（☞公式テキスト62〜65ページ）

問1 社会保障制度を巡る近年の動きについて、正しい説明を①〜④から一つ選びなさい。

① 公的年金の受給開始時期が原則「65歳」から「75歳」に繰り下げられた。

② 出産時や育児休業取得時の給付金を増やすなど、子育て関連予算を拡充している。

③ 新型コロナウイルスの感染拡大をきっかけに、オンライン診療が「再診」に限って認められるようになったが、「初診」では認められていない。

④ 生活保護受給世帯に占める「母子世帯」の割合は年々高まり、近年は5割を上回っている。

問2 現在の公的年金制度について、正しい説明を①〜④から一つ選びなさい。

① 現在の現役世代が支払う保険料を、現在の高齢者の年金に充てる「賦課方式」が原則だ。

② 保険料を納める期間が40年に満たない場合は、老後に年金を一切受け取ることができない。

③ 厚生年金の保険料は、本人（従業員）が全額を負担する。

④ 国民年金と厚生年金には、加入者の所得にかかわらず保険料や受給額が定額だ、という共通点がある。

問3 国民健康保険（国保）について、正しい説明を①〜④から一つ選びなさい。

① 20歳以上の全ての国民が加入する公的医療保険だ。

② 元々は公務員向けの公的医療保険だった。

③ 近年は、加入者に占める無職や低賃金の人の割合が高まっている。

④ 運営主体は、以前は都道府県だったが、市町村に変更された。

問4 介護保険制度について、正しい説明を①〜④から一つ選びなさい。

① 65歳以上の全員に「介護サービス費」としてお金を支給する制度だ。

② 介護サービスを利用する際の自己負担は原則1割だが、所得が一定額以上の人は負担割合が大きくなる。

③ 介護サービスにかかる費用（利用者の自己負担分を除く）は、保険料だけで賄われている。

④ 保険料を納めるのは、国民年金と同様に20歳から59歳までの人だ。

問5 次のグラフは、社会保障給付費について、これまでの推移と今後の見通しを示しています。グラフ中の【 A 】〜【 C 】のうち、【 A 】【 B 】に当てはまる項目名の正しい組み合わせを、①〜④から一つ選びなさい。

① A－年金 　　B－医療

② A－医療 　　B－年金

③ A－医療 　　B－福祉その他

④ A－福祉その他 　　B－年金

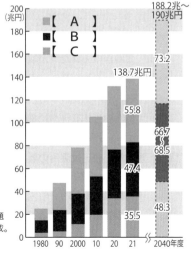

※国立社会保障・人口問題研究所の資料を基に作成。2040年度は国の推計

15 変化する日本の働き方

正解 106、107ページ

(☞公式テキスト66～69ページ)

問1 最低賃金の全国平均（加重平均）は2023年度の改定後、前年度比43円増の【 A 】円になりました。引き上げ率は政府方針の「年【 B 】％」を上回りました。【 A 】【 B 】に当てはまる数字の正しい組み合わせを、①～④から一つ選びなさい。

① A－961　　B－3
② A－961　　B－5
③ A－1004　　B－3
④ A－1004　　B－5

問2 「フリーランス」について、正しい説明を①～④から一つ選びなさい。

① インターネットを通じて単発の仕事を請け負う「ギグワーカー」は、フリーランスの一形態だ。
② 会社などの組織に雇われていないが、法律上は「労働者」とみなされる。
③ 政府の推計によると、フリーランスとして働く人は近年減少傾向にある。
④ フリーランスを保護するための法律がなく、速やかな法整備を求める声がある。

問3 働き方改革関連法の柱である「同一労働同一賃金」について、正しい説明を①～④から一つ選びなさい。

① 正規と非正規雇用の間の待遇差を一切認めない、という考え方だ。
② 経験や能力に関係なく、職種ごとに同一の賃金が支払われるべきだ、という考え方だ。
③ 主に非正規雇用労働者の待遇改善を目指している。
④ 大企業のみに適用され、中小企業への適用は見送られた。

問4 女性の働き方や雇用に関する次のA～Cについて、正誤の正しい組み合わせを①～④から一つ選びなさい。

A：管理職（企業の課長や部長など）に占める女性の割合は5割に達している。
B：女性の平均賃金が男性より低い要因の一つに、非正規雇用で働く女性の割合が男性よりも高いことがある。
C：男女雇用機会均等法では性別による雇用上の差別が禁止されているが、「営業職は男性、事務職は女性」など、性別によって職務内容を限定した募集は禁止されていない。

① A－正　　B－正　　C－誤
② A－正　　B－誤　　C－正
③ A－誤　　B－正　　C－誤
④ A－誤　　B－誤　　C－正

問5 育児・介護休業法に基づく育児休業（育休）制度について、正しい説明を①～④から一つ選びなさい。

① 共働きの夫婦だけが取得することができる。
② 対象となる従業員が取得を申し出た場合、事業主は拒むことができない。
③ 取得中の従業員に対し、事業主は賃金を満額支払わなくてはならない。
④ 男性の育休取得率は30％を超えている（2022年度）。

問6 正規雇用と非正規雇用の雇用契約や労働環境を比較したとき、正規雇用だけに当てはまるものはどれですか。①～④から一つ選びなさい。

① 会社と雇用契約を結ぶ。
② 原則として雇用期間を定めない。
③ 社会保険に加入することができる。
④ 育児休業を取得することができる。

16 豊かな消費を守る

正解 107ページ

(☞公式テキスト70〜73ページ)

問1 企業などの広告主が、世間に与える影響が大きい「インフルエンサー」らに金銭などの対価を支払い、広告であることを隠して口コミのように商品を宣伝してもらう手法を【　　】といいます＝図は一例。【　　】に当てはまる言葉を①〜④から一つ選びなさい。

① ステルスマーケティング

② デジタルタトゥー

③ サブスクリプション

④ ストリーミング

このダイエットサプリメントは飲みやすくておすすめ★効果が出るのが楽しみ〜！

広告であることを隠して口コミを装っている

問2 成人年齢の引き下げ（2022年）によって18、19歳は【　A　】なしにクレジットカードなどの契約を結べるようになりました。一方、自分で結んだ契約を原則として【　B　】ことができなくなりました。【　A　】【　B　】に当てはまる文言の正しい組み合わせを、①〜④から一つ選びなさい。

① A－当事者間の合意　　　　B－履行する　　　② A－当事者間の合意　　　　B－取り消す

③ A－法定代理人の同意　　　B－履行する　　　④ A－法定代理人の同意　　　B－取り消す

問3 米国のケネディ大統領（当時）が1962年に唱えた「消費者の四つの権利」に当てはまらないものを、①〜④から一つ選びなさい。

① 安全への権利　　　　　　　　② 救済（補償）を受ける権利

③ 選択する権利　　　　　　　　④ 意見を聞かれる権利

問4 特定商取引法が定めるクーリングオフ制度について、正しい説明を①〜④から一つ選びなさい。

① 一定期間内なら、消費者が一方的に契約を解除することができる。

② クーリングオフできる期間は、取引の種類に関係なく一律だ。

③ 消費者が支払った代金は返金されるが、解約料を支払う必要がある。

④ 語学教室や学習塾のクーリングオフをした場合、既に受け取った教材などは買い取らなければならない。

問5 製造物責任法（PL法）について、正しい説明を①〜④から一つ選びなさい。

① 設計・製造による重大な欠陥が判明した自動車をメーカーなどが回収し、無償で修理する制度を定めている。

② 事業者が商品などの品質や内容を実際よりも良く見せかけて表示したり、過大な景品をつけて販売したりすることを規制している。

③ 製品の欠陥で与えた損害について、製造者は過失がなくても賠償責任を負うと規定している。

④ 水俣病などの公害訴訟を踏まえ、汚染者負担の原則（PPP）を初めて定めた。

問6 消費者行政に関わる機関について、正しい説明を①〜④から一つ選びなさい。

① 消費者庁：中央省庁再編（2001年）により設置された。

② 消費者安全調査委員会：警察庁に置かれた機関で、消費者事故の原因究明を担う。

③ 消費者委員会：内閣府に置かれた第三者機関で、消費者庁と同時に設置された。

④ 国民生活センター：地方自治体が設置し、消費生活の相談窓口などの役割を担う。

準2級

2級

1級

暮らし

□ その他のテーマ

正解 107ページ

問1 日本の社会保障制度は、［A］社会保険、［B］社会福祉、［C］公的扶助、［D］公衆衛生——の４本柱で構成されます。次のア～エは、A～Dのいずれかに当てはまる具体的な制度を説明したものです。A～Dとア～エの正しい組み合わせを、①～④から一つ選びなさい。

ア：生活困窮者に最低限の暮らしを保障する制度で、費用は全て税金で賄われる。

イ：食品の安全管理や感染症予防など、国民の健康を維持するための制度で、費用は主に税金で賄われる。

ウ：高齢者の介護サービスを提供したり、失業時に所得を保障したりする制度で、費用は主に税金や保険料で賄われる。

エ：児童や障害者らに施設・サービスを提供する制度で、費用は主に税金で賄われる。

① A－ア　B－ウ　C－イ　D－エ　　② A－イ　B－ア　C－ウ　D－エ

③ A－ウ　B－ア　C－エ　D－イ　　④ A－ウ　B－エ　C－ア　D－イ

問2 「8050問題」とは、【　　】ことに伴うさまざまな問題を指摘した言葉です。【　　】に当てはまる文言を①～④から一つ選びなさい。

① 「団塊の世代」が全員、後期高齢者となる

② 高齢の親が長期間ひきこもる子どもを支える

③ 高齢者が高齢者を介護する

④ 家庭内で、育児と介護に同時に直面する

問3 日本でも増えてきた「ジョブ型雇用」の特徴について、正しい説明を①～④から一つ選びなさい。

① 長い期間勤めるほど賃金が上がる。　　② 転職がしやすい。

③ 企業内のさまざまな職務を経験する。　④ テレワークに向かない。

問4 次のグラフは、正規雇用と非正規雇用の人数と非正規比率の推移を示しています。これも参考に、日本の雇用情勢に関するA～Cについて、正誤の正しい組み合わせを①～④から一つ選びなさい。

A：バブル経済崩壊後の不況のため、1990年代後半から企業は正規雇用を減らし、人件費の安い非正規雇用を増やして労働力を確保した。

B：1990年代後半から、「派遣労働」の対象となる職種が段階的に広がり、非正規比率を押し上げた。

C：リーマン・ショックによる世界同時不況の影響で、2009年に非正規雇用の人数は一時的に減ったが、その後は一貫して増えている。

① A－正　　B－正　　C－誤

② A－正　　B－誤　　C－誤

③ A－誤　　B－正　　C－正

④ A－誤　　B－誤　　C－正

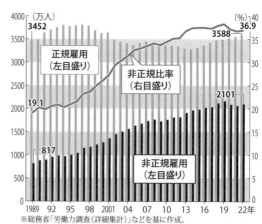

※総務省「労働力調査（詳細集計）」などを基に作成。
2001年までは各年2月の値、2002年以降は各年の平均値。2011年の値は推計（東日本大震災の影響により、岩手、宮城、福島の3県で調査の実施が一時困難になったため）

17 子どもと教育のいま

正解 108ページ

(☞公式テキスト76〜79ページ)

問1 学校教育に関する法律や制度について、誤っている説明を①〜④から一つ選びなさい。

① 不登校の子どもに多様な教育機会を確保することは、国と地方自治体の責務だ、と法律で定められている。

② いじめから子どもを守るための学校や行政の責務を定めた「いじめ防止対策推進法」の施行（2013年）後、全国の学校が認知するいじめの件数は年々減っている。

③ 大学生や短大生ら向けに、返済不要の奨学金を受けられる国の就学支援制度が設けられている。

④ 障害のある子どもと、障害のない子どもが同じ教室でともに学ぶことを「インクルーシブ教育」という。

問2 次の折れ線グラフは、「子どもの貧困率」と「ひとり親世帯に限った貧困率」を、棒グラフはその基準となる貧困線を示しています。この図も参考に、次のA、Bについて、正誤の正しい組み合わせを①〜④から一つ選びなさい。

A：貧困線は「全国民の年間の手取り収入の中央値の半分」を示し、これに満たないことを「絶対的貧困」という。

B：ひとり親世帯の貧困率が5割前後と高いのは、大半の親が無職のためだ。

① A−正　　B−正　　　② A−正　　B−誤
③ A−誤　　B−正　　　④ A−誤　　B−誤

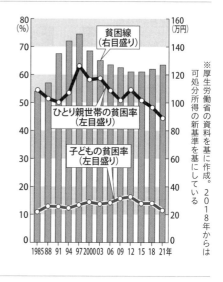

問3 子どもに関する制度や現状について、正しい説明を①〜④から一つ選びなさい。

① 親には、子の成人後も財産管理、生活場所や進学先の決定などに関わる法的義務や権利がある。

② 「ヤングケアラー」への支援の必要性が指摘される背景の一つには、核家族化でケアの担い手が足りなくなっていることがある。

③ 親が子を懲らしめることを認める民法の「懲戒権」は、児童虐待の口実に使われているとの批判もあるが、現在も存続している。

④ こども家庭庁（2023年発足）は、文部科学省が担っていた義務教育など、子どもにまつわる全ての行政を担当する。

問4 ［A］子どもの権利条約と、それに対応する［B］こども基本法（2023年施行）について、正しい説明を①〜④から一つ選びなさい。

① A：子どもを「権利の主体」ではなく、「保護の対象」として位置づけている。

② A：日本が批准したのは、こども基本法が成立した後だ。

③ B：教育を受ける権利を日本で初めて法的に保障した。

④ B：子どもの「意見を表明する機会」（意見表明権）を確保すると明記している。

18 共生社会への道のりは

正解 108ページ

（☞公式テキスト80〜83ページ）

問1 「同性同士の結婚を認めない現行制度は日本国憲法に反する」として五つの地方裁判所で争われた訴訟*では、現行制度の違憲性について地裁ごとに判断が分かれる結果になりました。資料１、２も参考にして、次のＡ〜Ｃのうち、正しい説明の過不足ない組み合わせを、①〜④から一つ選びなさい。

＊同性カップルら（原告）が2019年2月以降、国（被告）に損害賠償を求めて5地裁（札幌、大阪、東京、名古屋、福岡）に提訴した。原告の賠償請求は5地裁全てで棄却され、その後、全て原告側が控訴した。

資料1 5地裁の判断　○=合憲　×=違憲　△=違憲状態

地裁名	14条	24条1項	24条2項
札幌（2021年3月）	×	○	○
大阪（2022年6月）	○	○	○
東京（2022年11月）	○	○	△
名古屋（2023年5月）	×	○	×
福岡（2023年6月）	○	○	△

資料2 主に争点となった日本国憲法の条文

14条1項
　すべて国民は、法の下に平等であって、人種、信条、性別、社会的身分又は門地により、政治的、経済的又は社会的関係において、差別されない。

24条1項
　婚姻は、両性の合意のみに基づいて成立し、夫婦が同等の権利を有することを基本として、相互の協力により、維持されなければならない。

24条2項
　配偶者の選択、財産権、相続、住居の選定、離婚並びに婚姻及び家族に関するその他の事項に関しては、法律は、個人の尊厳と両性の本質的平等に立脚して、制定されなければならない。

Ａ：関連する憲法の条文のいずれに照らしても現行制度は「合憲」だ、と判断した地裁はない。
Ｂ：札幌地裁と名古屋地裁は、「法の下の平等を保障する憲法の規定に反する」と判断した。
Ｃ：東京地裁と福岡地裁は同性カップルが現行制度を利用できないことについて「個人の尊厳に立脚した法律の制定」を求める憲法の規定に反する状態だ、と判断した。

①　ＡとＢ　　　　②　ＡとＣ　　　　③　ＢとＣ　　　　④　ＡとＢとＣ（全て正しい）

問2 日本で暮らす外国人に関連して、正しい説明を①〜④から一つ選びなさい。

①　国籍・地域別で、最も多いのは米国だ（2023年6月末時点）。
②　在留資格を失った外国人は従来、原則として出入国在留管理庁の施設に収容されてきた。
③　労働基準法は、在留資格がないまま日本国内で働く外国人には適用されない。
④　公立学校に通う日本語指導が必要な外国籍の子どもの数は近年、減少傾向だ。

問3 障害者差別解消法などで定められた合理的配慮について、正しい説明を①〜④から一つ選びなさい。

①　国や地方自治体が障害者に合理的配慮（障害者の状況に応じた社会的障壁を、無理のない範囲で取り除くこと）を行うことは、義務ではなく「努力義務」として法律で定められている。
②　事業者にとってたとえ過重な負担であっても、障害者に求められた通りの合理的配慮をしないことは障害者差別に当たる、と法律に明記されている。
③　障害によって講義内容を書き取れない学生のために、授業に同席して講義内容などをノートに取るボランティア学生を大学が集めるのは、合理的配慮の一例だ。
④　障害のある生徒に試験時間の延長を認める一方、配慮を受けた生徒の試験結果を評価の対象から除外することは、合理的配慮の一部として認められている。

問4 人権を巡る制度や法律に関連して、誤っている説明を①〜④から一つ選びなさい。

①　低賃金や劣悪な労働環境などの批判を受ける外国人技能実習制度について、政府は廃止を決めた。
②　障害者基本法は、手話を「言語」と位置づけている。
③　初めてアイヌ民族を「先住民族」と明記したのは、アイヌ施策推進法（2019年施行）だ。
④　ヘイトスピーチ解消法（2016年施行）は、禁止規定や罰則を設けている。

19 司法と人権保障

正解 108、109ページ

(☞公式テキスト84～87ページ)

問1 刑事裁判の「再審」について、正しい説明を①～④から一つ選びなさい。

① 高等裁判所や最高裁判所が下位の裁判所の判決を破棄し、審理をやり直させるために事件を送り返すことだ。

② 再審を開始するのは、真犯人が見つかった時に限られる。

③ 確定した無罪判決を覆すために再審を開始することはできない。

④ 再審開始決定に対して、検察が不服を申し立てることは認められていない。

問2 性犯罪の規定を見直した改正刑法が2023年7月、施行されました。改正内容の一部を示した次の囲みを読んで、【　A　】【　B　】に当てはまるものの正しい組み合わせを①～④から一つ選びなさい。

・性犯罪の成立要件を見直して、罪名を【　A　】に改めた。
・性交同意年齢（性的行為への同意を自分で判断できるとみなされる年齢の下限）を【　B　】歳に引き上げて、【　B　】歳未満との性的行為を原則として処罰対象にした。

① A－不同意性交等罪　　　B－13　　　② A－不同意性交等罪　　　B－16

③ A－強姦罪　　　　　　　B－13　　　④ A－強姦罪　　　　　　　B－16

問3 法令に対する「違憲審査権」について、正しい説明を①～④から一つ選びなさい。

① 違憲審査権は、下級裁判所を含めた全ての裁判所にある。

② 法令が問題となる個別の裁判が起きていなくても、裁判所は違憲審査をすることができる。

③ 選挙制度を定めた法律は国の統治の基本に関わるため、裁判所の違憲審査の対象外だ。

④ 「特別裁判所」である最高裁判所には、国会で審議中の法案に対する違憲審査権がある。

問4 「裁判員制度」と「検察審査会制度」は、いずれも国民が司法に参加する制度です。次のA～Dのうち、両者の共通点として正しい組み合わせを①～④から一つ選びなさい。

A：国民の中からくじで選ばれた人が参加する。
B：参加者は生涯、守秘義務を課される。
C：刑事、民事両方の事件を対象としている。
D：高等裁判所の法廷で審理・審査する。

① AとB　　　　② AとD　　　　③ BとC　　　　④ CとD

問5 次の図は、少年事件の主な流れを示しています。図中の【　A　】【　B　】に当てはまる言葉の正しい組み合わせを①～④から一つ選びなさい。

① A－地方　　B－保護

② A－地方　　B－刑事

③ A－家庭　　B－保護

④ A－家庭　　B－刑事

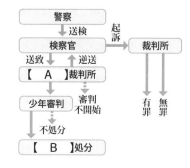

⑳ 情報社会に生きる

正解 109ページ

(☞公式テキスト88～91ページ)

問1 人工知能（ＡＩ）や、文章や画像を生み出すことができる生成ＡＩについて、<u>誤っている説明</u>を①～④から一つ選びなさい。

① 　ＡＩを巡る論点の一つに「透明性」の問題がある。結論を導く過程が複雑過ぎて人間には理解できない、との指摘だ。

② 　ＡＩの開発・活用について、日本は「厳しく規制すべきだ」と欧米よりも強く主張している。

③ 　生成ＡＩの一種「チャットＧＰＴ」に対しては、個人情報の漏えいを懸念する声がある。

④ 　生成ＡＩの中には、著作権者に無断で著作物を学習データに用いるものがある。

問2 インターネット広告のうち、年齢や性別などからネット利用者の興味や好みを分析し、それぞれに応じた広告を表示するものを「【　Ａ　】広告」といいます。多くの場合、利用者の閲覧状況に関する【　Ｂ　】と呼ばれるデータが使われます。【　Ａ　】【　Ｂ　】に当てはまる言葉の正しい組み合わせを①～④から一つ選びなさい。

① 　Ａ－ターゲティング　　　Ｂ－クッキー（Cookie）

② 　Ａ－ターゲティング　　　Ｂ－マルウエア

③ 　Ａ－タイアップ　　　　　Ｂ－クッキー（Cookie）

④ 　Ａ－タイアップ　　　　　Ｂ－マルウエア

問3 インターネット上の偽情報に関する次の囲みを読んで、【　Ａ　】【　Ｂ　】に当てはまる文言の正しい組み合わせを①～④から一つ選びなさい。

> ・生成ＡＩ（人工知能）によって作られた「ディープフェイク」が世界的に問題になっている。国内では【　Ａ　】。
> ・ネット上の情報の真偽を判断するためには、【　Ｂ　】による「ファクトチェック」の結果を参照することが有効な手段の一つとされる。

① 　Ａ－作成・拡散自体が法律で規制されている　　　Ｂ－報道機関や民間団体

② 　Ａ－作成・拡散自体が法律で規制されている　　　Ｂ－政党や政治家

③ 　Ａ－作成・拡散した人が摘発された例がある　　　Ｂ－報道機関や民間団体

④ 　Ａ－作成・拡散した人が摘発された例がある　　　Ｂ－政党や政治家

問4 インターネットでの言論や誹謗中傷に関する次のＡ～Ｃについて、正誤の正しい組み合わせを①～④から一つ選びなさい。

Ａ：人の社会的評価をおとしめる投稿をしても、その内容が真実であれば罪に問われることはない。

Ｂ：中傷対策として刑法が改正され、「侮辱罪」が厳罰化された。

Ｃ：匿名の投稿で被害を受けた人が損害賠償を求めるには、投稿者を特定する必要がある。特定のための手続きが、法改正によって簡略化された。

	Ａ	Ｂ	Ｃ
①	正	正	正
②	誤	正	正
③	誤	誤	正
④	誤	誤	誤

21 いのちと科学を考える

正解 109、110ページ

(☞公式テキスト92〜95ページ)

問1 新型コロナウイルス感染症は2023年、感染症法上の分類が「5類」に変更されました。これに関連して、正しい説明を①〜④から一つ選びなさい。

① 5類は季節性インフルエンザと同じ分類だ。

② 5類への移行は、ウイルスの変異が今後は起きないと判断されたことが要因だ。

③ 5類への移行後も医療費の公費負担は続いており、誰でも無料で治療を受けられる。

④ 5類への移行後も、政府は感染状況に応じて緊急事態宣言を出すことができる。

問2 認知症に関連して、正しい説明を①〜④から一つ選びなさい。

① 認知症は記憶力の低下などで日常生活に支障をきたす状態を指し、原因として最も多いのは心筋梗塞（こうそく）だ。

② 認知症の患者数は既にピークを過ぎ、今後は減る傾向が続くと国は予測している。

③ 認知症の人による交通事故を減らすため、75歳以上の全員に運転免許証の返納が義務づけられている。

④ 認知症などで判断能力が欠けている人を援助するため、契約などの行為を本人に代わって家族らがする「成年後見制度」がある。

問3 次のグラフは、日本人の年齢階級別（5歳ごと）にみた主な死因の構成割合（2022年）を示しています。グラフ中のA、Bに当てはまる死因の正しい組み合わせを、①〜④から一つ選びなさい。

① A−自殺 B−悪性新生物（がん）

② A−自殺 B−心疾患

③ A−不慮の事故 B−悪性新生物（がん）

④ A−不慮の事故 B−心疾患

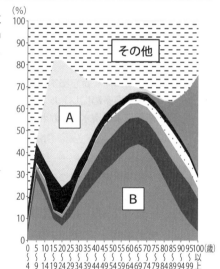

※厚生労働省「人口動態統計（2022年）」を基に作成

問4 【　　】の主な原因はヒトパピローマウイルス（HPV）です。このためHPVワクチンの接種を受けることで、【　　】にかかる可能性を下げられるとされます。【　　】に当てはまる病名を①〜④から一つ選びなさい。

① 白血病 ② 子宮頸（けい）がん

③ 乳がん ④ C型肝炎

問5 高齢出産の増加などを背景に【　A　】が広がっています。【　A　】は、妊婦の血液に含まれる胎児のDNAを調べ、胎児の染色体異常を推定するものです。異常が確定した妊婦の約9割が人工妊娠中絶したというデータもあり、【　B　】につながるとの指摘もあります。【　A　】【　B　】に当てはまるものの正しい組み合わせを①〜④から一つ選びなさい。

① A−新型出生前診断（NIPT） B−出自を知る権利の侵害

② A−新型出生前診断（NIPT） B−命の選別

③ A−体外受精 B−出自を知る権利の侵害

④ A−体外受精 B−命の選別

22 災害と日本

正解 110ページ

（☞公式テキスト96〜99ページ）

問1 近年、台風や線状降水帯による豪雨災害が頻発し、国は水害を抑えるため「流域治水」という政策に取り組み始めました。これに関連して、正しい説明を①〜④から一つ選びなさい。

① 台風とは、勢力が一定以上の「温帯低気圧」のことだ。

② 線状降水帯が図のような仕組みで発生するのは、「冬型の気圧配置」となった時に限られる。

③ 流域治水とは、国・都道府県と河川流域の市区町村、住民、企業が連携して防災・減災を進めるという考え方だ。

④ 流域治水に基づき、治水ダムや堤防は全廃される。

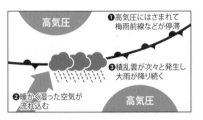

問2 今後予想される次の四つの地震のうち、最悪のケースで想定される被害の大きさを国が発表しているものはいくつありますか。正しいものを①〜④から一つ選びなさい。

| 日本海溝地震 | 千島海溝地震 | 南海トラフ巨大地震 | 首都直下地震 |

① 一つ   ② 二つ   ③ 三つ   ④ 四つ（全て）

問3 「災害への備え方」には例えば、次のA、Bのような考え方があります。下のⅠ〜Ⅲのうち、「考え方B」に当てはまる備え方はどれですか。過不足ないものを①〜④から一つ選びなさい。

考え方A：日常的に使っているものとは別に、災害などの非常時に必要なものを備えておく。
考え方B：日常的に身の回りにあるものやサービスを、非常時にも役立てる。

Ⅰ：避難時にすぐ持ち出すべきものなどをまとめた「非常用持ち出し袋」を準備する。
Ⅱ：普段から多めにレトルト食品などを買い、食べた分だけ買い足すことで一定量を備蓄しておく。
Ⅲ：豪雨による浸水や、がれきが散乱した道を歩いて避難する場合に備え、災害用避難靴を買う。

① ⅠとⅢ   ② Ⅱのみ   ③ ⅡとⅢ   ④ ⅠとⅡとⅢ（全て当てはまる）

問4 関東大震災と戦後の二つの震災に関する次の表のうち、【 A 】〜【 C 】にはそれぞれの震災で最も多くの人が亡くなった原因として「建物倒壊」「火災」「津波」のうち一つが当てはまります。【 A 】〜【 C 】に当てはまる言葉の正しい組み合わせを、①〜④から一つ選びなさい。

① A－津波   B－建物倒壊   C－火災
② A－火災   B－津波   C－建物倒壊
③ A－火災   B－建物倒壊   C－津波
④ A－建物倒壊   B－火災   C－津波

	年	M	死者・行方不明者	
関東大震災	1923	7.9	約10万5400人	【 A 】
阪神大震災	1995	7.3	約6400人	【 B 】
東日本大震災	2011	9.0	約2万2200人	【 C 】

※Mはマグニチュードで、地震の規模を示す

問5 東日本大震災と東京電力福島第1原子力発電所事故に関連して、正しい説明を①〜④から一つ選びなさい。

① 震災に伴う避難を続けている人は、数百人にまで減った。

② 事故で溶け落ちた核燃料（燃料デブリ）は、全て回収された。

③ 原発の敷地内にたまり続ける「処理水」について政府は、海水で薄めて沖合に放つ「海洋放出」による処分に踏み切った（2023年）。

④ 現在も残る帰還困難区域（7市町村）で、除染作業が実施された例はない。

㉓ 地球環境を守るために

正解 110ページ

(☞公式テキスト100〜103ページ)

問1 国連気候変動枠組み条約に示されている「【　　】」という原則は、「地球温暖化の防止は人類共通の責任だが、温室効果ガスを多く排出してきた先進国の責任がより重い」との考え方で、環境問題を巡る基本原則です。【　　】に当てはまる文言を①〜④から一つ選びなさい。

① 汚染者負担　　　　　　　　　　② 無過失責任

③ 共通だが差異ある責任　　　　　④ 利益の公正かつ衡平な配分

問2 「パリ協定」に関連して、正しい説明を①〜④から一つ選びなさい。

① 参加国は「温室効果ガス排出量『実質ゼロ』」という目標を掲げている。「実質ゼロ」とは、実際の排出量をゼロにするという意味だ。

② 京都議定書と同様に、全ての参加国に温室効果ガスの排出削減を義務づけている。

③ 参加国は温暖化対策を策定して国連に提出し、5年ごとに見直す義務を負う。

④ 参加国は、「産業革命前からの気温上昇を2度未満に抑える」というパリ協定の目標を後退させ、「2.5度未満」とすることで合意している。

問3 プラスチックごみ（プラごみ）の現状や対策に関連して、正しい説明を①〜④から一つ選びなさい。

① 日本のプラごみの輸出量は近年、増えている。

② 紫外線で劣化し細かくなるなどして海洋などに漂うマイクロプラスチックは、生物が体内に取り込んでも悪影響はないことが分かっている。

③ 使い捨てのプラスチック製スプーンなどを事業者が無償提供することは、「プラスチック資源循環促進法」（2022年施行）によって今後禁止されることが決まっている。

④ 政府はリデュース、リユース、リサイクルの「3R」に加え、使い捨てプラスチックを再生可能なものに切り替えることを目指している。

問4 公害や政府の施策について、正しい説明を①〜④から一つ選びなさい。

① アスベスト（石綿）は長期間、大量に吸い込むと、平均数十年の潜伏期間を経て肺がんなどを発症する恐れがある。

② 熊本の水俣病と新潟水俣病は同じ企業が引き起こしたが、原因物質は異なる。

③ 日本の公害行政の根幹をなしてきた「環境基本法」に代わって、「公害対策基本法」が制定された。

④ 足尾銅山から排出された鉱毒による被害が発覚してすぐ、環境庁（現在の環境省）が設置された。

問5 地球環境問題に関する国際的な取り決めについて、正しい説明を①〜④から一つ選びなさい。

① 国連環境計画（UNEP）は、国連環境開発会議（地球サミット、1992年）の決議に基づいて設立された。

② 「モントリオール議定書」は、オゾン層を破壊するフロン類などの生産・使用量を段階的に減らす国際ルールだ。

③ 汚れたプラスチックごみを含む有害廃棄物の国境を越える移動は、「水俣条約」によって規制されている。

④ 「バーゼル条約」は、水銀による健康被害や環境汚染を防ぐことを目的とした国際ルールだ。

準2級

2級

1級

政治

経済

くらし

社会・環境

国際

■ その他のテーマ

正解 111ページ

問1 性別や結婚に関する次のA〜Cについて、正しい説明として過不足ないものを①〜④から一つ選びなさい。

A：性的少数者が望んでも、戸籍上の性別は決して変更することができない。

B：戸籍上の性別が同じカップルは、地方自治体が発行するパートナーとしての証明書を得ても、結婚した夫婦と同等の社会保障や税制上の優遇を受けることはできない。

C：選択的夫婦別姓制度が導入された場合、結婚する夫婦はそれぞれの結婚前の姓（旧姓）を必ず名乗らなければならない。

① Aのみ　　　　② AとC　　　　③ Bのみ　　　　④ BとC

問2 刑事司法について、正しい説明を①〜④から一つ選びなさい。

① 現行犯などの例外を除き、容疑者を逮捕するには検察官が発付する令状が必要だ。

② 警察と検察は、容疑者を逮捕した全ての事件で、取り調べの全過程を録音・録画すること（全面可視化）が義務づけられている。

③ 拷問や脅迫で得られた自白でも、信用性の高い内容なら有罪の証拠とすることができる。

④ 被告が貧困などのため、自費で弁護人をつけられない場合、費用を国が負担する制度がある。

問3 検索サイトなどインターネット上に残る、自分に関する不都合な情報の削除を求める「忘れられる権利」は、【　　】などに基づいて主張されています。【　　】に当てはまる言葉を①〜④から一つ選びなさい。

① プライバシー権　　② アクセス権　　③ パブリシティー権　　④ 生存権

問4 精神疾患（うつ病、摂食障害など）について、<u>誤っている説明</u>を①〜④から一つ選びなさい。

① 国内の患者数は近年、増加傾向にある。

② 高齢になるほど発症しやすい。

③ 精神疾患の一つに「ゲーム障害」がある。

④ 規則正しい生活を送ることやストレスをためないことが、予防につながる。

問5 脳死した人からの臓器移植に関するルールが定められている現在の臓器移植法（2010年施行）について、正しい説明を①〜④から一つ選びなさい。

① 年齢を問わず提供者（ドナー）になることができる。

② 脳死状態になった本人が生前に提供の意思を書面で示していれば、家族の承諾がなくても提供できる。

③ 公平性の観点から、提供者の親族に優先的に臓器を提供することはできない。

④ 近年は脳死下の臓器提供が減り、心停止後の臓器提供が増える傾向にある。

臓器提供意思表示カードの
表面（左）と裏面（右）

24 平和な世界どうやって

正解 111、112ページ

(☞公式テキスト106～109ページ)

問1 ロシアによるウクライナ侵攻（2022年～）について、正しい説明を①～④から一つ選びなさい。

① ロシアは、「ウクライナ系住民」の保護などを理由に掲げて侵攻を正当化した。

② ロシアは今回の侵攻より前に、ウクライナの一部を一方的に併合したことがある。

③ 国連安全保障理事会の決議に基づく多国籍軍が、ウクライナに派遣された。

④ 米国は軍事的中立の立場を貫き、ウクライナに武器は提供していない。

問2 パレスチナ問題に関連して、正しい説明を①～④から一つ選びなさい。

① イスラエルには、第二次世界大戦中の「ホロコースト」の生存者やその子孫が多く暮らしている。

② パレスチナ側とイスラエルが和平に向けて署名した宣言（1993年）は、通称「プラザ合意」と呼ばれる。

③ 米国の歴代政権は常にパレスチナ寄りの立場を取ってきた。

④ イスラエルと国交を結んでいるアラブの国はない。

問3 パレスチナ人による自治が認められている「パレスチナ自治区」は、【　A　】地区とヨルダン川西岸地区から成る領域です。【　A　】地区は現在、イスラム組織【　B　】が支配しています。【　A　】【　B　】に当てはまる言葉の正しい組み合わせを、①～④から一つ選びなさい。

① A－ガザ　　　B－タリバン　　　② A－ガザ　　　B－ハマス

③ A－オスロ　　B－タリバン　　　④ A－オスロ　　B－ハマス

問4 国連について、正しい説明を①～④から一つ選びなさい。

① 総会決議には法的拘束力があり、国連加盟国は従わなければならない。

② 総会の表決では、国連予算の分担金や人口の多寡に関わらず、各加盟国が1票の投票権を持つ。

③ 日本は国連に、創設当初から加盟している。

④ 国連憲章は全加盟国に対して、武力による威嚇や武力行使をいかなる場合も禁止している。

問5 国連安全保障理事会について、正しい説明を①～④から一つ選びなさい。

① 常任理事国、非常任理事国の合計10カ国から成る。

② 全ての理事国が拒否権を持っている。

③ 冷戦終結以降、拒否権が行使された例はない。

④ 安保理決議には法的拘束力があり、国連加盟国は従わなければならない。

ウクライナ侵攻を巡る安保理会合＝米ニューヨークの国連本部で2023年7月

問6 世界の難民問題に関連して、正しい説明を①～④から一つ選びなさい。

① 難民条約は、深刻化する難民問題に対処するため、第一次世界大戦の終結直後に採択された。

② 難民条約における「難民」の定義には、貧困などの経済的理由で自ら母国を離れた人も含まれる。

③ 世界の難民の数は近年、減少し続けている。

④ 国連難民高等弁務官事務所（UNHCR）のトップを、日本人が務めたことがある。

25 核兵器と向き合う世界

正解・112ページ

(☞公式テキスト110〜113ページ)

問1 核兵器を保有する米国、ロシア、中国の３カ国に関連して、正しい説明を①〜④から一つ選びなさい。核弾頭保有数については、ストックホルム国際平和研究所による2023年１月時点の推定に基づいて考えることとします。

① 新戦略兵器削減条約（新ＳＴＡＲＴ）は、米露中３カ国間で結ばれた現存する唯一の核軍縮条約だ。

② 世界で最も多くの核弾頭を持っているのは米国だ。

③ ロシアは、隣国ベラルーシに核兵器を配備したと発表した（2023年）。

④ 中国は近年、核弾頭保有数を大幅に削減している。

問2 核拡散防止条約（ＮＰＴ）と核兵器禁止条約（核禁条約）について、正しい説明を①〜④から一つ選びなさい。

① ＮＰＴ：核兵器の保有を５カ国に認め、参加国・地域に核軍縮交渉を義務づけている。

② ＮＰＴ：核禁条約の批准国を枠組みから排除することを決めた。

③ 核禁条約：ＮＰＴと同様に、核兵器による「威嚇」を禁じている。

④ 核禁条約：日本は既に署名、批准している。

問3 次のＡ〜Ｄのうち、「大量破壊兵器」に分類されるものの正しい組み合わせを、①〜④から一つ選びなさい。

Ａ：化学兵器　　　Ｂ：クラスター爆弾　　　Ｃ：生物兵器　　　Ｄ：対人地雷

① ＡとＣ　　　② ＡとＤ　　　③ ＢとＣ　　　④ ＢとＤ

問4 北大西洋条約機構（ＮＡＴＯ）について、正しい説明を①〜④から一つ選びなさい。

① 冷戦時代に米国や西欧諸国が結成した。

② 西欧諸国間の自由貿易を推進するための枠組みだ。

③ 加盟できるのは、欧州連合（ＥＵ）加盟国に限られる。

④ ロシアによる侵攻を受けて、ウクライナのＮＡＴＯへの加盟が決定した。

問5 現在の核保有国（保有が確実視されている国を含む）に当てはまらない国を、①〜④から一つ選びなさい。

① フランス　　　② ウクライナ　　　③ イスラエル　　　④ パキスタン

問6 ［Ａ］冷戦時代、米国とソ連の間で核兵器使用の可能性が急激に高まり、世界を核戦争寸前にまで追い込んだできごと、［Ｂ］それに対処した米国大統領の名前──の正しい組み合わせを、①〜④から一つ選びなさい。

① Ａ−マルタ会談　　　Ｂ−トルーマン

② Ａ−マルタ会談　　　Ｂ−ケネディ

③ Ａ−キューバ危機　　　Ｂ−トルーマン

④ Ａ−キューバ危機　　　Ｂ−ケネディ

26 米国 次のリーダーは

正解 112、113ページ

（☞公式テキスト114、115ページ）

問1 米国のバイデン大統領とトランプ前大統領に関連して、正しい説明を①～④から一つ選びなさい。

① バイデン氏は現在2期目で、次回大統領選挙（2024年11月）にも立候補を表明している。

② バイデン政権の下、米国は、トランプ政権時代に離脱した環太平洋パートナーシップ協定（TPP）に復帰した。

③ トランプ氏は、前回大統領選（2020年）での選挙妨害などを巡って起訴された。

④ トランプ氏は大統領時代、民主主義や人権などの価値観を重視する国々と関係を深める「民主主義外交」を展開した。

問2 米国の大統領と連邦議会について、正しい説明を①～④から一つ選びなさい。

① 大統領：大統領が拒否権を使えば、議会が可決した法案は全て廃案になる。

② 大統領：議会の承認を得ずに、法的拘束力のある大統領令を出すことができる。

③ 議会：大統領に対して不信任決議をする権限がある。

④ 議会：上院の議長は副大統領が務め、法案などを採決する際は常に投票する。

問3 米国の大統領選挙（本選）や連邦議会議員選挙について、正しい説明を①～④から一つ選びなさい。

① 大統領選では、全米の有権者から最も多くの票を得た候補が必ず当選する。

② 大統領選における「選挙人」とは、不正防止のため投票所で投票を監視する役目の人を指す。

③ 有権者は大統領と副大統領をペアで選ぶ。

④ 連邦議会の上院と下院の定数は同じだ。

問4 米国の黒人や移民を取り巻く状況について、正しい説明を①～④から一つ選びなさい。

① 黒人への法的な差別は、奴隷制廃止（1865年）とともに全廃された。

② 公民権運動を指導したキング牧師は、ワシントンで「私には夢がある（I have a dream）」で知られる演説を行った。

③ 「BLM（ブラック・ライブズ・マター、黒人の命は大事だ）」は、黒人初の米大統領であるオバマ氏が掲げたスローガンだ。

④ 近年、カナダから国境を越えて米国に不法入国する移民の増加が社会問題となっている。

問5 米同時多発テロ（2001年）や、それを受けて始まった米国の「対テロ戦争」について、正しい説明を①～④から一つ選びなさい。

① 米国は、過激派組織「イスラム国」（IS）の最高指導者、ビンラディン容疑者を同時多発テロの首謀者と断定し、殺害した。

② 同時多発テロを受けた米国の攻撃により、シリアのカダフィ政権が崩壊した。

③ 米国が「対テロ戦争」を始めた当時は、トランプ政権だった。

④ 米国は、大量破壊兵器を保有しているとしてイラクを攻撃した。

米同時多発テロの標的となった世界貿易センター跡地の追悼碑には、犠牲者の名前が刻まれている＝米ニューヨークで2021年9月

27 鈍る中国 台頭する国々

正解 113ページ

(☞公式テキスト116〜119ページ)

問1 中国の統治機構とトップの習近平国家主席＝写真＝について、正しい説明を①〜
④から一つ選びなさい。

① 立法権、行政権、司法権の「三権分立」が確立している。

② 中国の憲法は、国と中国共産党の関係について「国家が党を指導する」とし
て、党を国家の下に位置づけている。

③ 「全国人民代表大会」(全人代) は立法機関で、日本の国会に相当する。

④ 習氏は党と国家のトップを務める一方、権力集中を防ぐために軍のトップは務めていない。

問2 中国の習近平国家主席が提唱した「一帯一路」とは、【　A　】をつなぐ【　B　】構想のことです。
【　A　】【　B　】に当てはまる言葉の正しい組み合わせを①〜④から一つ選びなさい。

① A－アジア太平洋地域　　　B－巨大経済圏

② A－中国から欧州まで　　　B－軍事同盟

③ A－アジア太平洋地域　　　B－軍事同盟

④ A－中国から欧州まで　　　B－巨大経済圏

問3 中国と台湾の関係について、正しい説明を①〜④から一つ選びなさい。

① 「戦略的互恵関係」というスローガンの下、経済面での民間交流が拡大している。

② 中国は、台湾を「不可分の領土」とする考え方を原則としている。

③ 中国と台湾は、ともに国連に加盟している。

④ 中国で成立した「国家安全維持法」は、台湾における中国政府への反乱や独立運動などを取り締
まる法律だ。

問4 中国の【　A　】に住む人々の多くは【　B　】教徒です。これまで、中国政府による【　A　】の人々
に対する不当な拘束や強制労働などの人権侵害が、中国国外から指摘されてきました。米国のバイデ
ン政権は、【　A　】における中国政府の行為について、特定の民族の根絶を図るジェノサイドだとし
て厳しく批判しました。【　A　】【　B　】に当てはまる言葉の正しい組み合わせを、①〜④から一
つ選びなさい。

① A－クルド人自治区　　　　B－イスラム

② A－新疆ウイグル自治区　　B－イスラム

③ A－クルド人自治区　　　　B－ユダヤ

④ A－新疆ウイグル自治区　　B－ユダヤ

問5 東南アジア諸国連合 (ASEAN) について、正しい説明を①〜④から一つ選びなさい。

① 域内総人口は、中国の人口よりも多い。

② 域内で人口規模と国内総生産 (GDP) が最も大きい国は、インドネシアだ。

③ ミャンマーの国軍がクーデターを起こしたため、ASEANはミャンマーを除名した。

④ ASEANと日本の経済連携協定 (EPA) 交渉は難航し、中断している。

■ その他のテーマ

正解 113ページ

準2級 2級 1級 政治 経済 暮らし 社会・環境 国際 正解

問1 国際社会で存在感を増す「グローバルサウス」について、正しい説明を①〜④から一つ選びなさい。

① 主に南半球に位置する国々が結んだ多国間の経済連携協定のことだ。

② 民主主義などの価値観を欧米と共有する方針を掲げ、ロシアや中国との関係が冷え込んでいる。

③ 経済的に豊かな先進国が多く含まれるとされる。

④ 代表的な国として、インドやブラジルが挙げられる。

問2 欧州連合（EU）について、正しい説明を①〜④から一つ選びなさい。

① マーストリヒト条約に基づいて発足した。

② 政治統合を先行して進め、その後、経済統合に着手した。

③ 英国よりも前に、加盟国が離脱した例がある。

④ 全加盟国の金融政策が、欧州中央銀行（ECB）に一元化されている。

問3 主要7カ国（G7）、主要8カ国（G8）、主要20カ国・地域（G20）とそれぞれの首脳会議（サミット）について、正しい説明を①〜④から一つ選びなさい。

① G7サミットの起源となる首脳会議（1975年）は「プラザ合意」後に初めて開かれた。

② G8とは、冷戦終結後の一時期、G7にロシアを加えた枠組みだ。

③ 日本で過去に開かれたG7、G8、G20サミットの開催地は全て東京だった。

④ 中国はG7、G20両方の正式メンバーだ。

問4 次のA、Bは、米国のバイデン政権が国家安全保障戦略（2022年公表）で、ある国について述べた表現です。それぞれが指す国名の正しい組み合わせを、①〜④から一つ選びなさい。

A：自由で開かれた国際システムに対する直接的な脅威

B：国際秩序を変える意図と能力を備えた唯一の競争相手

① A−ロシア　B−中国

② A−イスラエル　B−ロシア

③ A−インド　B−中国

④ A−ロシア　B−インド

問5 17目標169ターゲットから成る国連の「持続可能な開発目標」（SDGs）について、正しい説明を①〜④から一つ選びなさい。

① 途上国だけが達成を目指している。

② 目標の達成時期は決まっていない。

③ 目標の一つとして持続可能な経済成長を掲げている。

④ 目標を達成できなかった時の罰則が定められている。

問6 世界保健機関（WHO）について、正しい説明を①〜④から一つ選びなさい。

① 感染症対策に特化した機関だ。

② 病気の分類の世界標準（国際疾病分類＝ICD）を策定している。

③ 世界各国の保健行政機関に、指示・命令できる権限がある。

④ 新型コロナウイルスのパンデミック（世界的大流行）への対応を評価され、ノーベル平和賞を受賞した。

1 気候変動対策の「正義」「公平性」

正解 114ページ

★高校生のハルさんらが、授業で気候変動問題について話し合っています。会話を読んで、問1〜3に答えなさい。

先生：「クライメート・ジャスティス」という言葉を聞いたことがありますか。日本語で「気候正義」や「気候の公平性」などと訳され、気候変動対策にかかる負担を誰がどの程度負うべきか、などの議論の中で、近年多く言及されています。

ハル：スウェーデンの環境活動家、グレタ・トゥーンベリさんらの活動で知りました。【　Ⅰ　】という若者たちの指摘には、同世代の一人として共感します。

ケイ：世代間の公平性も重要ですが、温室効果ガスの排出削減などの負担を、世界各国がどのように分担するのかも大きな論点でしょう。私は、温室効果ガスを大量に排出して経済発展を遂げた先進国が、途上国に排出削減を求めるのは不公平だと思います。

ユウ：ケイさんの気持ちはわかります。この論点については、国連の気候変動枠組み条約でも基本原則が示されていますね。ただ、温暖化による海面上昇で沈んでしまいそうな小さな島国と、(ア) 温室効果ガスの総排出量が世界で最も多い国（2020年時点）なども入るＢＲＩＣＳの国々の違いを念頭に置くと、途上国とされる国の間でも【　Ⅱ　】と考えるべきではないでしょうか。

先生：そうですね。2005年に発効した京都議定書は、先進国にのみ、温室効果ガスの排出削減を義務づけていました。しかし、一部の国の急速な経済発展や、ユウさんのような考え方もあり、(イ) 後継の国際枠組み（2016年発効）は、途上国も含めた全ての参加国に排出削減のための取り組みを求めるという画期的な内容となりました。さらに、2022年の気候変動枠組み条約第27回締約国会議（ＣＯＰ27）では、気候変動に伴う被害を受けた途上国支援のための基金設立が決まりましたね。さて、気候変動を巡る公平性について、これまでに挙げられた対立軸の他に思い浮かぶ例はありますか。

ケイ：そういえば、韓国では、「半地下」に住む所得の低い人々が豪雨で浸水被害を受けたと報道されていました。さまざまな事情で職業を選ぶ自由が少なく屋外で働かざるを得ない人も、熱波や高温の影響を大きく受けますよね。

ハル：そう考えると、同じ世代や国の中でも、経済状況によって、より脆弱な立場の人がいるといえますね。将来世代である一方、先進国で経済的に困窮していない家庭に生まれた、という自分自身の立場を考えると、不公平さを訴えるだけでなく、【　Ⅲ　】という視点でも、この問題に向き合うべきかもしれません。

問1 【 Ⅰ 】～【 Ⅲ 】には、次のA～Cのいずれかが当てはまります。このうち、【 Ⅰ 】【 Ⅲ 】に当てはまる文言の正しい組み合わせを、①～④から一つ選びなさい。

A：気候変動によって受ける影響や地球環境に与える影響は大きく異なる

B：経済発展の恩恵を受ける立場として、気候変動対策の責任を引き受ける

C：対策を怠った先行世代のツケを将来世代に払わせるべきではない

① Ⅰ－A　　Ⅲ－C

② Ⅰ－B　　Ⅲ－A

③ Ⅰ－C　　Ⅲ－A

④ Ⅰ－C　　Ⅲ－B

問2 下線部（ア）（イ）が指すものの正しい組み合わせを、①～④から一つ選びなさい。

① ア－中国　　　　イ－ラムサール条約

② ア－中国　　　　イ－パリ協定

③ ア－ブラジル　　イ－ラムサール条約

④ ア－ブラジル　　イ－パリ協定

問3 次の図は、気候変動で受ける影響の大きさを二つの対立軸を使って示しています。「気候変動の影響を最も大きく受けるグループ」が図中右上の色付きの場所に位置する時、【 X 】に当てはまる言葉はどれですか。会話の内容を踏まえて、①～④から一つ選びなさい。

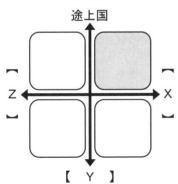

途上国

Z　　　　X

【 Y 】

① 先行世代

② 将来世代

③ 先進国

④ 富裕層

2 ネットと「表現の自由」を考える

正解 114ページ

問1 改正刑法の成立を報じる次の新聞記事を読んで、大学生4人（A〜D）が話し合っています。4人の意見を右ページの図のように整理する場合、それぞれの立場はⅠ〜Ⅳのどれに当てはまりますか。正しい組み合わせを①〜④から一つ選びなさい。軸上にあるものは「どちらともいえない」または「発言からは読み取れない」ことを表します。

侮辱罪を厳罰化　改正刑法

インターネット上の誹謗中傷対策を目的に、侮辱罪の法定刑を引き上げることを盛り込んだ改正刑法が2022年6月、成立した。

侮辱罪は、不特定または多数の人が知り得る状況で他人を侮辱する言動が処罰される罪だ。改正前の法定刑は「拘留（30日未満）」または科料（1万円未満）」だった。成立した改正刑法は、侮辱罪の法定刑に「1年以下の懲役もしくは禁錮」と「30万円以下の罰金」を加えた。これに伴い、公訴時効（罪を犯した人を処罰できる期間）が1年から3年に延びた。

侮辱罪の厳罰化を巡る議論は、SNS（ネット交流サービス）上の誹謗中傷が社会問題化したことをきっかけに本格化した。一方、厳罰化により表現の自由が制約されるのではないか、と懸念する声もある。このため改正刑法には、施行から3年後に、有識者を交えた検証を行うことが明記された。

A：侮辱罪の厳罰化は、誹謗中傷の被害者が強く求めてきたものです。特にインターネット上では、一度広まった情報を完全に削除することは難しく、被害者の精神的苦痛は非常に大きいです。侮辱罪の刑罰はもともと、刑法で定められた罪の中で最も軽いと指摘されてきました。今回の厳罰化は被害の実態に即したもので、抑止力という観点からも評価できます。

B：厳罰化によって深刻な被害に対処していくことは必要です。ただ、法務省によると、侮辱罪での処罰件数は年間30件程度にとどまっています。今回の厳罰化では、侮辱罪に当たるかどうかを判断する基準自体は変わらないため、処罰件数が増えるとはいえません。加害者を適正に処罰すると同時に、SNSを運営する事業者が、問題のある投稿をすぐに削除するなど、被害拡大を食い止める取り組みも急務ではないでしょうか。

C：SNS事業者などは、問題のある投稿の削除やアカウントの停止を積極的に行うとともに、人権侵害につながる行為を禁止するという運営方針をはっきりと掲げ、広く周知してほしいです。ネット上の匿名の悪意ある投稿については、被害者が投稿者を特定する際の手続きが簡易になり法的責任を問いやすくなりました。それでも、一度受けた被害を回復するのは大変です。事業者が、被害を未然に防ぐ対策を積極的にとることが必要です。

D：誹謗中傷に関わる罪でも「名誉毀損罪」の場合は、不特定多数の人に示した「事実（内容が本当かうそかを問わず）」が公共の利益に関わるもので、かつ本当のことだと信じられる相当の理由があれば、処罰の対象にならないとされています。しかし、侮辱罪にはこうした規定がありません。そのため、まっとうな批判や批評まで罪に問われかねないとの恐れがあります。正当な表現活動まで萎縮させかねない法改正には反対です。

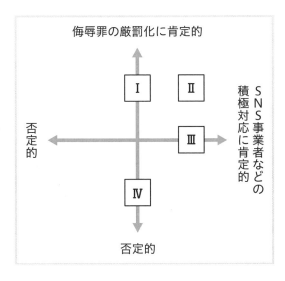

	A	B	C	D
①	I	II	III	IV
②	I	IV	III	II
③	II	III	I	IV
④	III	II	IV	I

3 カーブに表れる働き方

正解 114ページ

★次の会話を読んで、問1、2に答えなさい。

アヤ：女性の働き方を巡って、最近「L字カーブ」という言葉をよく聞くようになったよ。

ソウ：「M字カーブ」なら聞いたことがあるけれど……。

ユナ：M字カーブは、女性の労働力率*1を年齢階級別に折れ線グラフにした時に表れる特徴的な形のことで、他の世代と比べて【　A　】の労働力率が落ち込むことを示していたよね。ただ、最近は女性の育児休業（育休）の取得率の上昇などを背景に、ほぼ解消されていると聞いたよ。

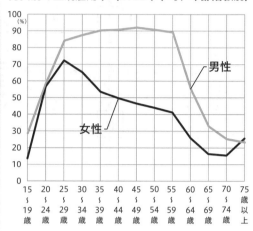

男女別の正規雇用率（2022年平均、年齢階級別）

※総務省「労働力調査（詳細集計）」を基に作成

アヤ：最近は女性の正規雇用率*2が、20代後半をピークに右肩下がりになっていることが新たな課題として指摘されているんだって。折れ線グラフで表した時、アルファベットの「L」を時計回りに寝かせた形に見えることから、L字カーブと呼ばれているそうだよ＝上のグラフ。

ソウ：つまり、女性は妊娠・子育ての時期に【　B　】ということ？

ユナ：育休から復職後、正規雇用で働き続けられなくなる理由があるということかな？ (ア)L字カーブが起こる理由についてみんなで考えてみない？

＊1　労働力率……15歳以上の人口に占める労働力人口（就業者＋完全失業者）の割合
＊2　正規雇用率……雇用者（役員を除く）に占める正規雇用の労働者の割合

問1 会話文中の【　A　】【　B　】に当てはまる文言の正しい組み合わせを、①〜④から一つ選びなさい。

① A－20〜30代　　B－退職して、その後も仕事に就いていない

② A－20〜30代　　B－正規雇用から非正規雇用に転じている

③ A－50代以上　　B－退職して、その後も仕事に就いていない

④ A－50代以上　　B－正規雇用から非正規雇用に転じている

問2 下線部（ア）について、ユナさんたちは次の三つの仮説（仮説1〜3）を立てました。下のW〜Zのうち、仮説1〜3を検証するための統計調査として適切なものはどれですか。過不足ない組み合わせを、①〜④から一つ選びなさい。

仮説1：正規雇用だと勤務時間などの融通がききにくく、育児との両立が難しいためだ。
仮説2：育児中の社員が柔軟に働ける制度が整っている企業が少ないからだ。
仮説3：妻が家事、育児に充てる時間が夫よりも長く、妻に負担が偏っているためだ。

W：「非正規雇用に就いた主な理由」を年齢階級別、男女別に調べたもの
X：「雇用形態別の賃金」を年齢階級別、男女別に調べたもの
Y：子どもがいる世帯のうち、夫婦それぞれが「家事、育児に充てる時間」を調べたもの
Z：企業の「育児のための各種制度（時短勤務、残業の制限など）」の導入状況」を調べたもの

① WとXとY　　　② WとYとZ　　　③ XとYとZ　　　④ XとZ

4「たばこ税」とマナーの関係

正解 114ページ

問1 次の会話文中の【　A　】【　B　】にはどのような文言が当てはまりますか。文脈も踏まえて正しい組み合わせを、①～④から一つ選びなさい。

ミユ：街中の喫煙所を増やす動きが加速している、という記事を新聞で見たよ。例えば、3年間で、東京都千代田区は14億円超、大阪市は19億円超を投じるんだって。喫煙者だけにメリットがある施策のように思えるのだけど、税金の使い道として本当に適切なのかな？

アオ：厚生労働省の調査（2019年時点）によると、たばこを習慣的に吸っている人の割合は16.7%で、10年間で6.7ポイント減っているそうだよ。喫煙者が減ってきているのに、これから街中の喫煙所を増やすことにどんな意味があるんだろう？

ハナ：本当に喫煙者にしかメリットがないのかな？　新型コロナウイルスの感染拡大を防ぐために、街中や企業内の喫煙所が封鎖・撤去された結果、喫煙できる場所が減って、人目につきにくい場所で喫煙したり、吸い殻をポイ捨てしたりする例もあったみたい。だから、【　A　】と思う。

喫煙所内での喫煙を呼びかける張り紙＝札幌市内で2023年

アオ：きちんとマナーを守って喫煙してくれればいいのに……。街中に喫煙所を増やすなら、設置にかかるお金は喫煙者が負担すべきだと思うな。

ミユ：たばこには、「たばこ税」という税金がかかっているよ。【　B　】、喫煙者だけがお金を負担することになるよね。千代田区と大阪市が何を財源に喫煙所を増やそうとしているのか調べてみない？

【　A　】に当てはまる文言
ⅰ：喫煙所を増やしても、ルールやマナーを守らない喫煙者は一定程度いる
ⅱ：喫煙所を一定程度設けたほうが、受動喫煙の防止や街の美化にもつながって、非喫煙者にもメリットがある

【　B　】に当てはまる文言
ⅲ：たばこを買う人だけが払う税金だから、その税収を喫煙所の設置費用に充てれば
ⅳ：国と地方の税収の一部で、生活基盤の整備や公共サービスの向上などに充てられているから

	A	B
①	ⅰ	ⅲ
②	ⅰ	ⅳ
③	ⅱ	ⅲ
④	ⅱ	ⅳ

5 ＩＴ社会の個人情報

正解 114ページ

問1 次の会話は、高校生のトモカさんとマイさんが、資料Ⅰ～Ⅴを見ながら交わしたものです。会話文中の【　　】には、どのような文言が当てはまりますか。資料Ⅰ～Ⅴから読み取れることを基に、①～④から一つ選びなさい。

> トモカ：この前、私のスマートフォンで男子と一緒に動画投稿サイト「ユーチューブ」を見ていたら、いきなり便秘薬の広告が出てきて、ちょっと気まずかったな。ちょうど前日に、おなかの調子が悪くて、便秘薬を検索していたんだけれど……。
>
> マ　イ：それ、ターゲティング広告と言うみたいだよ。検索サイトの利用履歴やスマホの位置情報などから個人情報がプロファイリング*されて、関心を持ちそうな広告が個別に表示されるんだって。
>
> トモカ：そういう仕組みなんだね。知らなかった。
>
> マ　イ：プロファイリングを行っているのは、検索サービスやＳＮＳ（ネット交流サービス）を手がけている巨大ＩＴ企業で、プラットフォーマー（ＰＦ）と呼ばれているんだって。消費者庁が買い物関連のＰＦについて利用者に行った意識調査＝次の資料Ⅰ～Ⅴ＝によると、【　　】。だから、個人情報の利用を拒否できる方法などについてＰＦは利用者に適切に示してほしいね。
>
> ＊プロファイリング……特定の人物に関する情報を収集、分析して、今後の行動などを予測すること

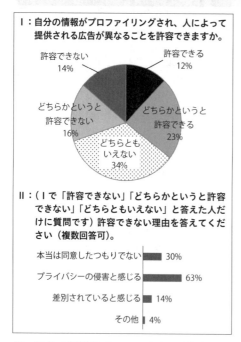

Ⅰ：自分の情報がプロファイリングされ、人によって提供される広告が異なることを許容できますか。

許容できない 14%
許容できる 12%
どちらかというと許容できる 23%
どちらかというと許容できない 16%
どちらともいえない 34%

Ⅱ：（Ⅰで「許容できない」「どちらかというと許容できない」「どちらともいえない」と答えた人だけに質問です）許容できない理由を答えてください（複数回答可）。

本当は同意したつもりでない 30%
プライバシーの侵害と感じる 63%
差別されていると感じる 14%
その他 4%

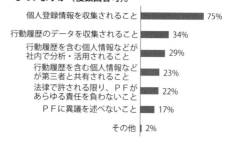

Ⅲ：サービスの利用開始にあたって利用規約やプライバシーポリシーへの同意ボタンを押す時には、何に同意していると認識していますか（複数回答可）。

個人登録情報を収集されること 75%
行動履歴のデータを収集されること 34%
行動履歴を含む個人情報などが社内で分析・活用されること 29%
行動履歴を含む個人情報などが第三者と共有されること 23%
法律で許される限り、ＰＦがあらゆる責任を負わないこと 22%
ＰＦに異議を述べないこと 17%
その他 2%

※資料Ⅰ～Ⅴ……消費者庁が2020年、18歳以上のインターネットモニター計3072人を対象に行った調査を基に作成

Ⅳ：プロファイリングされた個人情報を基に表示される広告を、外したいと思いますか。

いいえ 19%
はい 81%

Ⅴ：プロファイリングされた個人情報を基に表示される広告を、外す設定があることを知っていますか。

はい 33%
いいえ 67%

① 自分の情報がプロファイリングされていることについては、約7割の人が「許容できる」と思っているみたい

② 全回答者の6割以上が、自分の情報がプロファイリングされていることについて、プライバシーの侵害だと感じているみたい

③ 7割以上の人が、サービスの利用開始にあたって利用規約やプライバシーポリシーへの同意ボタンを押すと、無断で個人情報を盗まれると思っているみたい

④ プロファイリングされた個人情報を基に表示される広告を外したいと思っている人が多数派なのに、外す設定があることを知っている人は少数派みたい

2024年度版
ニュース検定公式問題集

2級

1 私たちの民主主義

正解 115ページ

(☞公式テキスト8～11ページ)

問1 国政選挙での「1票の格差」を巡る動向に関連して、正しい説明を①～④から一つ選びなさい。

① 衆議院議員選挙の小選挙区での1票の格差を是正するため、2024年以降に実施される衆院選から、定数が「10増10減」となる。

② 「アダムズ方式」とは、衆院選小選挙区の定数配分で、まず全都道府県に1議席を割り振り、そのうえで残りの議席を人口比で配分する方法だ。

③ 参議院議員選挙の選挙区への「合区」導入(2016年)によって、1票の最大格差は広がった。

④ 「合区」導入以降、参院選における1票の格差を巡る訴訟で、最高裁判所が「違憲」と判断した例がある。

問2 「1票の格差」を巡る訴訟で最高裁判所が採用してきた「事情判決の法理」とはどのような考え方ですか。正しい説明を①～④から一つ選びなさい。

① 選挙無効の訴えの1審は、有権者の利便性を考慮して高等裁判所で開くべきだ、という考え方だ。

② 都市部への人口集中、地方の過疎化という社会的事情を考慮し、「違憲」判決を出すのは慎重にすべきだ、という考え方だ。

③ 1票の価値に「著しい不平等」はあるものの、格差是正に必要な時間(合理的期間)がまだ過ぎていないと裁判所が判断すれば、「合憲」判決を出す、という考え方だ。

④ 「違憲」判決を言い渡す場合でも、混乱を避けるため選挙は有効とし、「選挙無効」の訴えを退けることができる、という考え方だ。

問3 女性の政治参加について、正しい説明を①～④から一つ選びなさい。

① 初めて女性が衆議院議員になったのは、日本国憲法が施行された後のことだ。

② 衆議院と参議院それぞれで、女性が議長に就いたことがある。

③ 「政治分野における男女共同参画推進法」は、政党などに国政選挙の候補者数を「男女均等」とすることを義務づけ、違反した場合の罰則を規定している。

④ 政治分野における、性別に基づく「クオータ制」とは、選挙の候補者や議席のうち必ず4分の1を女性に割り当てる制度のことだ。

問4 在外投票に関する次のA、Bについて、正誤の正しい組み合わせを①～④から一つ選びなさい。

A：選挙権を持つ日本人が海外に転出する際、自動的に在外選挙人名簿に登録される。

B：日本で実施される選挙のうち、在外邦人が投票できるのは国政選挙に限られる。

① A-正 B-正 ② A-正 B-誤 ③ A-誤 B-正 ④ A-誤 B-誤

問5 次の表は、架空の参議院議員選挙(比例代表選挙)におけるX党、Y党の政党別得票数と、候補者別得票数です。現行の比例代表の仕組みに基づいて、候補者A～Jの中から6人の議員を選ぶ場合、当選するのは誰ですか。正しい組み合わせを①～④から一つ選びなさい。候補者のうち、Jだけは特定枠で立候補したものとします。

X党		Y党	
「X党」と書かれた票数	300万	「Y党」と書かれた票数	50万
候補者別得票数 A	60万	候補者別得票数 G	110万
B	20万	H	29万
C	8万	I	10万
D	7万	J	1万
E	3万		
F	2万		

① A、B、C、D、G、H ② A、B、C、D、G、J

③ A、B、C、G、H、I ④ A、B、C、G、H、J

② 日本政治の現在地

正解 115ページ

(☞公式テキスト12〜15ページ)

問1 「政治とカネ」に関する制度について、正しい説明を①〜④から一つ選びなさい。
① 政党交付金の交付要件を満たす政党は、全て交付を受けている。
② 企業や団体が政党や政党支部に献金することは、政治資金規正法で禁止されているが、政治家個人への献金は禁じられていない。
③ 政治資金規正法に違反して国会議員秘書などの有罪が確定した場合に議員も失職する「連座制」が、同法に規定されている。
④ 国会議員には毎月、歳費とは別に「調査研究広報滞在費」が議員活動のためのお金として支給されている。

問2 政府が進める行政手続きのデジタル化に関連して、正しい説明を①〜④から一つ選びなさい。
① 行政手続きのデジタル化を進めるための中心的な役割を担う「デジタル庁」には、他省庁に勧告できる権限がある。
② 政府は外国籍の人を除く全ての国民に、マイナンバーカード（マイナカード）の取得を促している。
③ 自動車の運転免許証は、マイナカードとの一体化に合わせて廃止されることが決まっている。
④ 政府は、地方自治体の基幹業務に関わるシステムの統一化を検討したものの、地方分権の観点から断念した。

問3 国会の運営や審議に関連して、誤っている説明を①〜④から一つ選びなさい。
① 日本国憲法では臨時国会について、一定数以上の議員の要求があれば「内閣は、その召集を決定しなければならない」と定められている。
② 法案などを政府が国会に提出する前に与党内で議論する「事前審査」は、国会審議の迅速化を促すとされる半面、形骸化を招くとの指摘もある。
③ 国会に提出された法案は、その会期中に議決されなければ原則として廃案になる。
④ 与野党党首による「党首討論」は、国会が召集されるたびに最低1回は開くよう法律で定められている。

問4 政策の実施に必要なルールを定める際に、立法府は大枠を示した法律を制定するにとどめ、行政府が具体的なルール（政令など）作りを担うことがあります。こうした【 A 】は、行政機能が拡大した「行政国家」の特徴です。その運営に重要な役割を果たしているのが、高度な専門性を有する行政官（官僚）による【 B 】です。【 A 】【 B 】に当てはまる言葉の正しい組み合わせを①〜④から一つ選びなさい。
① A－委任立法　　B－ビューロクラシー　　② A－委任立法　　B－レファレンダム
③ A－閣法　　　　B－ビューロクラシー　　④ A－閣法　　　　B－レファレンダム

問5 戦後の政党政治に関連して、正しい説明を①〜④から一つ選びなさい。
① 自民党が衆議院議員選挙で惨敗したことをきっかけに、「55年体制」が成立した。
② 「非自民連立政権」が成立したのは、衆院選に小選挙区比例代表並立制が導入された後のことだ。
③ 自民党と社会党（現在の社民党）が連立政権を作ったことがある。
④ 民主党（当時）政権時代は終始、衆議院と参議院の多数派が異なる「ねじれ国会」の状態だった。

③ 日本国憲法の行方

正解　115、116ページ

（☞公式テキスト16〜19ページ）

問1 日本国憲法改正の論点である「緊急事態条項」に関連して、自民党などの「改憲勢力」は、「緊急事態」として具体的に四つの事態を想定し、明示しています。この四つに当てはまらないものを、①〜④から一つ選びなさい。

① 大規模自然災害　　　　　　　　② 感染症のまん延

③ 原子力発電所事故　　　　　　　④ 国家有事・安全保障

問2 改正国民投票法（2021年施行）で決まった内容について、正しい説明を①〜④から一つ選びなさい。

① 日本国憲法改正以外のテーマも国民投票の対象になった。

② 駅や商業施設に「共通投票所」を設けることが可能になった。

③ 改憲案への賛否を呼びかける運動に使う資金（有料広告を含む）に上限を定めた。

④ 投票権年齢が「20歳以上」から「18歳以上」になった。

問3 自民党が2018年にまとめた「改憲4項目」の例に当てはまるものを、①〜④から一つ選びなさい。

① 憲法裁判所の設置　　　　　　　② 参議院議員選挙における選挙区の「合区」解消

③ 道州制の導入　　　　　　　　　④ 憲法改正の要件の緩和

問4 皇室制度に関する政府の有識者会議は2021年、皇族の数を確保するための策として二つの案を軸とする最終答申をまとめました。「二つの案」の正しい組み合わせを、①〜④から一つ選びなさい。

A：女性宮家を創設する
B：女性皇族が結婚後も皇室に残る
C：皇位継承権を男系女子に拡大する
D：戦後に皇籍を離脱した旧宮家の男系男子が養子縁組して皇籍に復帰する

① AとB　　　② AとC　　　③ BとD　　　④ CとD

問5 日本国憲法9条や自衛隊に関連して、正しい説明を①〜④から一つ選びなさい。

① 裁判所はしばしば、国の統治の基本に関する高度な政治判断については司法審査の対象外とする「一事不再理」の考え方を持ち出して、9条や自衛隊に関する判断を避けてきた。

② 「砂川事件」で最高裁判所は、「自国の存立のために必要であっても、憲法上、自衛のための措置を取ることはできない」との判断を示した。

③ 「長沼ナイキ基地訴訟」で札幌地方裁判所は、自衛隊の存在を合憲と判断した。

④ 「自衛隊イラク派遣訴訟」で名古屋高等裁判所は、イラクでの自衛隊の活動を違憲と判断した。

問6 次のA〜Dは、日本国憲法13条（幸福追求権）や21条（表現の自由）などを根拠に主張されるようになった「新しい人権」の例です。このうち、最高裁判所の判例で認められているか、または現行法に明記された例として、正しい組み合わせを①〜④から一つ選びなさい。

A：環境権
B：知る権利
C：プライバシー権
D：アクセス権

① AとC　　　② AとD　　　③ BとC　　　④ BとD

④ 日本外交の針路は

正解 116ページ

(☞公式テキスト20〜23ページ)

問1 日本などは次の図のように、中国を意識した多国間の枠組みを複数構築しています。図中の空欄のうち【 A 】に当てはまる言葉を①〜④から一つ選びなさい。

① クアッド
② AUKUS（オーカス）
③ インド太平洋経済枠組み（IPEF）
④ 地域的な包括的経済連携（RCEP）協定

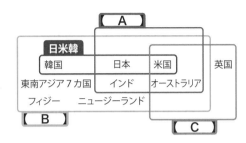

問2 戦後の日米関係に関する次のA〜Cについて、正誤の正しい組み合わせを①〜④から一つ選びなさい。

A：サンフランシスコ講和（平和）条約と同時に結ばれた日米安全保障条約（旧条約）には、米国が日本を防衛する義務が明記されていた。

B：日米防衛協力の指針（ガイドライン）は策定以来、一度も改定されていないため、「時代に即して見直すべきだ」と指摘されている。

C：日本が米国との関係で重視する「拡大抑止」とは、米国の抑止力（自国への攻撃を他国に思いとどまらせる能力）を同盟国である日本にも広げて適用する、という考え方だ。

	A	B	C
①	正	誤	正
②	正	誤	誤
③	誤	正	正
④	誤	誤	正

問3 日本とロシア（ソ連時代を含む）の関係に関する次のA〜Dについて、正しい説明の組み合わせを①〜④から一つ選びなさい。

A：旧満州（現在の中国東北部）や朝鮮半島にいた日本人の中には第二次世界大戦後、ソ連に連行され、シベリアなどで強制労働させられた人がいた。

B：日ソ共同宣言（1956年）には、平和条約締結後に北方領土の4島のうち「国後島と択捉島をソ連が日本に引き渡す」と明記されている。

C：日本とロシアが交渉開始で合意していた北方領土での「共同経済活動」とは、原油や天然ガスを開発する「サハリン1」「サハリン2」と呼ばれる事業のことだ。

D：ロシアはウクライナへの侵攻開始後、北方領土に住むロシア人と日本の元島民らがビザ（査証）なしで相互訪問する「ビザなし交流」の枠組みを、一方的に破棄した。

① AとB　　　② AとD　　　③ BとC　　　④ CとD

問4 次の文章中の下線部（ア）〜（エ）のうち、誤っているものはいくつありますか。①〜④から一つ選びなさい。

　韓国が領有権を主張する竹島（韓国名・独島〈ドクト〉）について、(ア)日本政府は「竹島を巡る領土問題は存在しない」との立場だ。(イ)韓国政府は領土問題の解決を目指して、国際的な司法機関への共同付託を提案した経緯がある。(ウ)この国際機関は、国家間の紛争解決を目的とする国際刑事裁判所（ICC）だ。(エ)日本政府も韓国側の提案を受け入れ、同裁判所での審理が進んでいる。

① 一つ　　　② 二つ　　　③ 三つ　　　④ 四つ（全て誤り）

準2級
2級
1級
政治
経済
暮らし
社会・環境
国際
正解

5 大転換の防衛政策

正解 116、117ページ

（☞公式テキスト24、25ページ）

問1 次のグラフは「防衛費の推移」を示しています。グラフ中の【　A　】～【　F　】には防衛費や防衛政策に関するできごと（ア～カのいずれか）が当てはまります。空欄のうち【　A　】【　C　】【　F　】に当てはまるものの正しい組み合わせを①～④から一つ選びなさい。

ア：自衛隊が発足
イ：安全保障関連法が成立
ウ：国連平和維持活動（PKO）協力法が成立
エ：「防衛費を関連経費と合わせ、5年間でGDP比2％に増やす」と閣議決定
オ：防衛費の「GNP比1％枠」を撤廃
カ：防衛費の「GNP比1％枠」を閣議決定

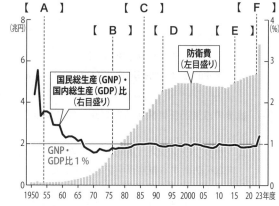

※防衛白書などを基に作成。防衛費は当初予算ベースで、沖縄の米軍基地再編関連の経費を含む。GNP・GDP比は、1993年度以前はGNP、1994年度以降はGDPで計算。1950年度はGNPのデータなし

① A－ア　　C－ウ　　F－イ
② A－ア　　C－オ　　F－エ
③ A－カ　　C－ウ　　F－エ
④ A－カ　　C－オ　　F－イ

問2 政府は2022年、相手国のミサイル発射拠点などをたたく「反撃能力」（敵基地攻撃能力）を保有する方針を決めました。これに関連して、正しい説明を①～④から一つ選びなさい。

① 政府は反撃能力の保有を決めるに当たって、「一切持つことができない」としていた日本国憲法の解釈を変更した。
② 政府は新たに、反撃能力を行使するための基準として「武力行使の3要件」を定めた。
③ 政府は、武力攻撃が発生する前の「先制攻撃」は許されないとする一方、相手国が攻撃に「着手」すれば反撃能力を行使できると説明している。
④ 日本は従来、ミサイル防衛の態勢を取ってこなかった。

問3 2022年に改定された「安全保障関連3文書」に当てはまらないものを、①～④から一つ選びなさい。

① 国家安全保障戦略　　② 国家防衛戦略　　③ 防衛力整備計画　　④ 防衛白書

問4 第二次世界大戦中の沖縄戦や、沖縄県の在日米軍基地に関連する次のA～Dについて、正しい説明の過不足ない組み合わせを①～④から一つ選びなさい。

A：沖縄戦では住民が戦闘に巻き込まれ、集団自決で亡くなった人もいた。
B：第二次世界大戦後に米国の施政下に置かれた沖縄県は、サンフランシスコ講和（平和）条約の発効と同時に日本に返還され、本土に復帰した。
C：米軍普天間飛行場（宜野湾市）の名護市辺野古沿岸部への移設について、歴代の沖縄県知事は一度も容認していない。
D：米軍基地を巡って、民意を問う県民投票が実施されたことがある。

① AとC　　　　　② AとCとD
③ AとD　　　　　④ BとD

6 地方自治のいま

正解 117ページ

(☞公式テキスト26〜29ページ)

問1 過疎化や地方活性化に関連して、正しい説明を①〜④から一つ選びなさい。

① 全国の地方自治体の過半数が、法律に基づいて「消滅可能性都市」に指定されている。

② 国の推計によると、2050年の都道府県別人口は、東京都を除く46道府県で2020年の人口を下回る見込みだ。

③ 岸田文雄内閣は、「デジタル田園都市国家構想」に代わる地方活性化策として「地方創生」を掲げている。

④ 地方活性化の一環で、文化庁や消費者庁など複数の政府機関が地方に全面移転した。

問2 地方経済の活性化や魅力向上などに資するとして近年、「関係人口」という概念が注目されています。「X町の関係人口」の例に当てはまるものを①〜④から一つ選びなさい。

① 日帰り出張でX町を訪れた人

② 1泊2日の観光旅行でX町を訪れた人

③ 定年退職後にX町へ移住した人

④ X町外で暮らし、X町の祭りに毎年参加している人

問3 「団体自治」について、正しい説明を①〜④から一つ選びなさい。

① 「『地方自治の本旨』の要素の一つだ」と日本国憲法に明記されている。

② 地方自治体が自主立法権、自主行政権、自主財政権を持つことだ。

③ 自治体の議員や首長を住民が直接選挙で選ぶことだ。

④ 議会の解散を住民が直接請求で求めることも含まれる。

問4 地域の住民が地方自治に参加する制度に関連して、正しい説明を①〜④から一つ選びなさい。

① 第二次世界大戦後に始まった統一地方選挙の統一率は下落傾向にあり、近年は3割を下回る。

② 永住外国人の地方選挙への参政権は、公職選挙法で認められている。

③ 住民による解職請求（リコール）の対象になり得るのは、首長に限られる。

④ 住民投票を実施する法的根拠を問わず、首長は投票結果に従う義務を負う。

問5 地方財政に関する次のA〜Dについて、正しい説明の組み合わせを①〜④から一つ選びなさい。

A：全国の都道府県や市区町村の合計をみると、歳入全体に占める地方税の割合は近年、約5割だ。

B：地方交付税は近年、金額の多寡はあるものの、全ての都道府県・市区町村に交付されている。

C：「ふるさと納税」で本来得られるはずだった税収が他の地方自治体に流出したら、国から補塡される場合がある。

D：2000年代の「三位一体改革」では、「地方交付税の見直し」「国庫支出金の削減」「国から地方への税源移譲」を一体的に進めることが打ち出された。

ふるさと納税の返礼品の例

① AとB　　　② AとC

③ BとD　　　④ CとD

準2級 2級 1級 政治 経済 暮らし 社会・環境 国際 正解

◼ その他のテーマ

正解 117ページ

問1 「衆議院の解散」には、根拠とする日本国憲法の条文により「7条解散」と「69条解散」の2種類があります。このうち、「7条解散」の直接の根拠とされる憲法の規定を、①〜④から一つ選びなさい。選択肢は条文の抜粋・要約です。

① 天皇は内閣の助言と承認により、国事行為をする。

② 内閣は、国に緊急の必要がある時、参議院の緊急集会を求めることができる。

③ 内閣総理大臣は、任意に国務大臣を罷免することができる。

④ 衆議院が内閣に対する不信任決議案を可決（または信任決議案を否決）した場合、内閣は「総辞職」「衆議院の解散」のいずれかを選ぶ。

問2 日本と中国の間には、両国関係の礎と位置づけられている「四つの政治文書」があります。次の表はその概要をまとめたもので、表中の【　A　】〜【　D　】には①〜④のいずれかが当てはまります。このうち【　D　】に当てはまるものを一つ選びなさい。

① いかなる紛争も武力による解決に訴えない

② 両国の首脳が相互に訪問する

③ 日本と中国の国交を正常化する

④ 戦略的互恵関係を推進する

	主な内容	当時の政府首脳	
		日本	中国
日中共同声明（1972年）	【 A 】	田中角栄首相	毛沢東共産党主席
日中平和友好条約（1978年）	【 B 】	福田赳夫首相	鄧小平副首相
日中共同宣言（1998年）	【 C 】	小渕恵三首相	江沢民国家主席
日中共同声明（2008年）	【 D 】	福田康夫首相	胡錦濤国家主席

問3 領土や領海などに関する国際法について、正しい説明を①〜④から一つ選びなさい。

① 沿岸国の領海を外国船が通航することは、全面的に禁じられている。

② 沿岸国は接続水域で、密輸などが疑われる船への立ち入り検査が認められている。

③ 南極の領有権は、最初に領有権を主張した国（7カ国）に限って認められている。

④ 宇宙空間に対する国家の領有権は、条件付きで認められている。

問4 過疎地域のインフラや、「まちづくり」を巡る近年の動向について、正しい説明を①〜④から一つ選びなさい。

① 地方自治体は水道事業の施設を所有したまま、その運営を民間企業に委ねることができる。

② 過疎化の進行などを背景にローカル鉄道の経営が悪化したため、国は一定の基準に当てはまる赤字路線の廃止を一律に認めている。

③ 各地でみられる「コンパクトシティー」の取り組みでは、日常の移動手段としてなるべく公共交通機関に頼らず、自家用車の普及を後押しする考え方が一般的だ。

④ 地方都市の中心部などで「シャッター通り」が増えてきた。これに歯止めをかけるため、大規模店の出店規制を強化して中小小売店を保護する現在の法律が制定された。

7 足踏みする日本経済

正解 118ページ

（☞公式テキスト32〜35ページ）

問1 国内総生産（ＧＤＰ）に関連して、正しい説明を①〜④から一つ選びなさい。

① 日本のＧＤＰを支出面から見ると、個人消費は約2割にとどまる。

② 日本人歌手の海外公演による売り上げは、日本のＧＤＰに算入される。

③ ＧＤＰを内需と外需に大別する場合、外需とは輸出から輸入を差し引いた「純輸出」を指す。

④ 輸入額の増加は統計上、ＧＤＰを押し上げる方向に作用する。

問2 物価に関連して、正しい説明を①〜④から一つ選びなさい。

① 景気が停滞する中で物価が上がり続けることを「スタグフレーション」という。

② デフレーションの時は一般に、名目国内総生産（ＧＤＰ）が実質ＧＤＰを上回る。

③ 原材料や賃金などのコスト上昇で物価が上がることを「デマンドプル・インフレ」という。

④ 日本では物価の動きを測る唯一の指標として、生鮮食品を含む消費者物価指数が使われる。

問3 日本銀行の最高意思決定機関である政策委員会が開く「金融政策決定会合」について、正しい説明を①〜④から一つ選びなさい。

金融政策決定会合に臨む植田和男総裁（中央奥）ら＝2023年4月

① 開催は原則として年1回だ。

② 政策は多数決で決められる。

③ 財務相は決定会合の議決に加わることができる。

④ 議事録の公開は法律上の義務ではない。

問4 日本銀行の植田和男総裁の下で実施された金融政策（2023年4月〜）などに関する次のＡ〜Ｃについて、正誤の正しい組み合わせを①〜④から一つ選びなさい。

Ａ：国債の買い入れ量の目標設定をやめ、金融政策の軸足を「量から金利」へ転換することを決めた。

Ｂ：「デフレーション」の状態に陥った1990年代後半から続く日銀の金融緩和政策について、レビュー（検証）に着手することを決めた。

Ｃ：長期金利の許容変動幅を縮小することを決めた。

① Ａ−正　　　Ｂ−正　　　Ｃ−誤

② Ａ−正　　　Ｂ−誤　　　Ｃ−正

③ Ａ−誤　　　Ｂ−正　　　Ｃ−誤

④ Ａ−誤　　　Ｂ−誤　　　Ｃ−正

問5 岸田文雄内閣が掲げる「新しい資本主義」の考え方や内容について、<u>誤っている説明</u>を①〜④から一つ選びなさい。

① 新しい資本主義とは、国家の経済への介入を減らして規制緩和を図り、「市場原理に基づく競争」を最も重視する考え方のことだ。

② 働く人が先端的な技能や知識を学び直す「リスキリング」を支援する。

③ スタートアップ（新興企業）への投資を増やし、起業しやすい環境整備などを促す。

④ 脱炭素化や経済安全保障に不可欠な「半導体」について、生産強化や人材育成に取り組む。

8 借金頼みの財政

正解 118ページ

（☞公式テキスト36〜39ページ）

問1 政府の2024年度当初予算案（一般会計）や、税制改正大綱（2023年末閣議決定）について、正しい説明を①〜④から一つ選びなさい。

① 予算：総額は過去最大となり、新規国債発行額は前年度当初予算よりも増えた。

② 予算：高齢化の進行に伴い、歳出に占める「社会保障費」の割合は5割を超えた。

③ 税制：所得税と住民税の納税額から一定額を差し引く「定額減税」の実施が盛り込まれた。

④ 税制：防衛力の強化に向けた増税の開始時期を明記した。

問2 次のA〜Cは、基礎的財政収支（プライマリーバランス＝PB）に関する説明です。表も参考にして、正誤の正しい組み合わせを①〜④から一つ選びなさい。

A：政策経費（社会保障や公共事業などの支出）を借金に頼るほど、PBの赤字は大きくなる。

B：政府は2024年1月、国と地方のPBを黒字化する目標時期を5年先送りし、「2030年度」とすることを表明した。

C：政府の2024年度当初予算案（一般会計）を基にすれば、国のPBは約62兆円の赤字だ。

▼政府の2024年度当初予算案（一般会計）の概要

歳入	112兆5717億円
新規国債発行	35兆4490億円
歳出	112兆5717億円
国債費	27兆90億円

① A－正　　B－誤　　C－正
② A－正　　B－誤　　C－誤
③ A－誤　　B－正　　C－正
④ A－誤　　B－正　　C－誤

問3 国債について、誤っている説明を①〜④から一つ選びなさい。

① 1970年代半ば以降、一時期を除き毎年度、赤字国債が発行されている。

② 公共事業費を賄うために発行される建設国債は、「4条国債」とも呼ばれる。

③ 特例法で認められる赤字国債の発行は1年限りで、複数年度の発行を認めた例はない。

④ 財政法上、日本銀行による国債の直接引き受けが例外的に認められる場合がある。

問4 日本の税制について、正しい説明を①〜④から一つ選びなさい。

① 所得税の累進課税制度で、最高税率を引き上げることは、財政の「所得の再分配」機能を強化することにつながる。

② 税制で指摘される「クロヨン」とは、法人税率が法人の規模や種類で異なる状態を指す。

③ 平成以降、税収（国と地方の合計）に占める直接税の割合は高まってきた。

④ 税制改正は3年に1度と定められ、改正の年には、税制改正大綱の内容を反映させた税制改正法案を政府が国会に提出する。

問5 消費税に関連して、正しい説明を①〜④から一つ選びなさい。

① 消費税法が成立し、税率3％で消費税が導入されたのは、橋本龍太郎内閣の時だ。

② 民主党政権時代に成立した「税と社会保障の一体改革関連法」によって、税率を5％から8％へ、さらに8％から10％へと引き上げることが決まった。

③ 国の税収のうち消費税収は、所得税収、法人税収に次いで3番目に多い（2022年度）。

④ インボイス（2023年10月導入）とは、商品ごとの税率・税額を記した領収書のことで、消費者に必ず渡すよう事業者に義務づけられている。

⑨ 混迷する世界経済

正解 118、119ページ

（☞公式テキスト40〜43ページ）

問1 次のグラフ中のi〜ivは米国、中国、日本、インドの実質国内総生産（GDP）成長率の推移を示しています。このうち、iとivに当てはまる国名の正しい組み合わせを、①〜④から一つ選びなさい。

① i－インド　　　iv－日本
② i－インド　　　iv－中国
③ i－中国　　　　iv－米国
④ i－米国　　　　iv－インド

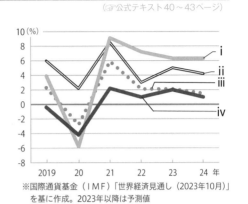

※国際通貨基金（IMF）「世界経済見通し（2023年10月）」を基に作成。2023年以降は予測値

問2 近年の世界経済の動向に関する次のA〜Cについて、正しい説明の過不足ない組み合わせを①〜④から一つ選びなさい。

A：米連邦準備制度理事会（FRB）による急速な利上げは、ドル建て債務を多く抱える新興国や途上国の負担が軽減される方向に働いた。

B：エネルギー資源の高騰などに伴うインフレーションを背景に、ユーロ圏の2023年の実質域内総生産（GDP）成長率は、2022年と比べて落ち込んだ。

C：中国では、大手不動産会社が相次いで経営破綻するなど、不動産不況に陥っている。

①　AとB　　　　②　AとC　　　　③　BとC　　　　④　AとBとC（全て正しい）

問3 自国のサプライチェーン（供給網）から特定の国を排除するなどして相手国の経済を切り離すことを【　A　】と言います。一方、特定の国への経済的依存度を下げる【　B　】という考え方も広がっています。【　A　】【　B　】に当てはまる言葉の正しい組み合わせを①〜④から一つ選びなさい。

①　A－ダイベストメント　　　　B－デリスキング
②　A－デカップリング　　　　　B－デリスキング
③　A－ダイベストメント　　　　B－プライマリーバランス
④　A－デカップリング　　　　　B－プライマリーバランス

問4 世界的な経済危機が起きた際の対応策や、事前の備えの一般的な例として**誤っているもの**を、①〜④から一つ選びなさい。

①　中央銀行による金融緩和政策　　　　②　国による民間企業への財政支援
③　金融機関の自己資本比率引き下げ　　④　国際協調に基づく緊急融資

問5 経済協力開発機構（OECD）の主導で130以上の国・地域が合意（2021年）した、世界経済のあり方を大きく変える複数の新ルールが、2025年中にも導入される見込みです。次のA〜Cのうち、新ルールとして正しいものはどれですか。過不足ないものを①〜④から一つ選びなさい。

A：温暖化対策が緩い国からの輸入品に先進諸国が課す事実上の関税（国境炭素税）を撤廃する。

B：法人税率の引き下げ競争を抑制するため、各国共通で最低税率を設ける。

C：インターネット通販などのビジネスを展開する巨大IT企業などに対し、その企業の拠点がない国も、国内にサービスの利用者がいれば納税を求めることができるようにする。

①　Aのみ　　　　②　AとB　　　　③　AとC　　　　④　BとC

⑩ 揺らぐ自由貿易体制

正解 119ページ

（☞公式テキスト44～47ページ）

問1　環太平洋パートナーシップ協定（ＴＰＰ、2018年発効）について、正しい説明を①～④から一つ選びなさい。

① 元々は米国が交渉を主導していたが、中国との交渉が折り合わずに離脱した。

② ＴＰＰ交渉において日本が関税撤廃の例外扱いを求めた農産物の「重要５項目」には、「オレンジ」が含まれている。

③ 新たに英国が参加することが正式に決まった（2023年）。ＴＰＰの発効後、参加国が増えるのは初めてだ。

④ 今後の焦点は、ＴＰＰの高水準のルールにそぐわないことが問題視されている「インド」の新規参加を認めるかどうかだ。

問2　米国は近年、信頼できる国・地域とともに、中国への経済的依存度を下げる取り組みを進めています。その足場の一つと位置づけられるのが、米国が主導して日本も参加する【　　　】です。【　　　】に当てはまる英略語を、①～④から一つ選びなさい。

① ＡＩＩＢ　　　② ＡＵＫＵＳ　　　③ ＩＰＥＦ　　　④ ＵＳＭＣＡ

問3　次の表にある三つの経済圏の共通点は何ですか。その例として過不足ないものを①～④から一つ選びなさい。

名称	発効年
環太平洋パートナーシップ協定（ＴＰＰ）	2018年
日本と欧州連合（ＥＵ）の経済連携協定（日欧ＥＰＡ）	2019年
地域的な包括的経済連携（ＲＣＥＰ＝アールセップ）協定	2022年

Ａ：関税の削減・撤廃にとどまらず、幅広い経済協力のルールを含んでいる。

Ｂ：今後、一部参加国の離脱はあり得ても、参加国が増える可能性はない。

Ｃ：同じ日本製品を複数の参加国に輸出する際、関税率は相手国により異なる場合がある。

Ｄ：「神戸ビーフ」のように地域に根付いた産品名を、知的財産として互いに保護すると定めた。

① Ａのみ　　　② ＡとＣ　　　③ ＢとＣ　　　④ Ｄのみ

問4　1944年に結ばれた協定に基づく「ブレトンウッズ体制」の下でのできごとについて、誤っている説明を①～④から一つ選びなさい。

① 事実上、「金・ドル本位制」の国際通貨体制が成立した。

② 各国が保護貿易政策を進めた結果、植民地など自国の勢力圏内で資源や食料の自給自足を図る閉鎖的な貿易体制（ブロック経済圏）に陥った。

③ 協定に基づいて国際通貨基金（ＩＭＦ）が発足し、為替の安定などを担った。

④ 西側先進国の主導で、関税貿易一般協定（ＧＡＴＴ）が発効した。

問5　世界貿易機関（ＷＴＯ）のルールに関連して、正しい説明を①～④から一つ選びなさい。

① 基本原則として、「最恵国待遇」と「内国民待遇」を掲げている。

② 多角的貿易交渉における意思決定は、原則として加盟国・地域の多数決による。

③ 特定産品の輸入急増に対処するための「セーフガード」は、ＷＴＯのルールに違反する。

④ 紛争解決制度の最終審に当たる「上級委員会」の委員不足が解消され、有志国・地域によって設立された代替枠組みは廃止された（2023年末時点）。

11 日本産業のいま

正解 119、120ページ

(☞公式テキスト48〜51ページ)

問1 「物流の2024年問題」に関する次のA、Bについて、正誤の正しい組み合わせを①〜④から一つ選びなさい。

A：高速道路の料金が2024年春から一斉に値上げされることに伴い、トラックの輸送コストの大幅な上昇が懸念される問題のことだ。

B：政府はこの問題の対応策として、輸送手段をトラックから船舶や鉄道に転換する「モーダルシフト」を進める方針だ。

深夜のパーキングエリアに並ぶ長距離輸送のトラック

① A－正　　B－正　　　② A－正　　B－誤

③ A－誤　　B－正　　　④ A－誤　　B－誤

問2 近年、日米欧などで「経済安全保障」という考え方が重視されています。日本における経済安全保障の強化につながる国の取り組みに当てはまらないものを、①〜④から一つ選びなさい。

① 重要な先端技術（人工知能、バイオ技術など）の研究開発を支援する。

② 特定重要物資（半導体など）のサプライチェーン（供給網）を強化する。

③ 基幹インフラ事業（電気、ガスなど）について、重要設備の導入や管理委託を規制する。

④ 非公開となっている特許の出願情報を全て公開し、国内産業の発展を図る。

問3 農業政策について、正しい説明を①〜④から一つ選びなさい。

① 政府は、近年40％を割っている食料自給率（カロリーで計算）を45％に引き上げる目標を掲げている。

② 農林水産物・食品の輸出額は近年、年間10兆円を超えている。

③ 国が進める「6次産業化」とは、ITを活用して生産性の向上を図ることだ。

④ 改正種苗法（2021年施行）により、農産物の品種開発が新たに規制された。

問4 「ビジネスと人権」に関する次のA〜Cについて、正しい説明の過不足ない組み合わせを①〜④から一つ選びなさい。

A：「ESG投資」が世界の潮流となったほか、中国・新疆ウイグル自治区の人権問題が世界的に注目されたことを背景に、各国の企業は人権問題への対応を加速させている。

B：欧米を中心に、多くの国で取り組みが進む「人権デューデリジェンス（人権DD）」とは、企業の事業活動に伴う人権侵害（強制労働など）がないかどうか、サプライチェーン（供給網）全体を通じて点検し、対処するよう求めることだ。

C：欧米などの取り組みを受け、国内の全ての企業に対して「人権DD」に取り組むよう義務づける法律が既に制定されている。

① AとB　　　② AとC　　　③ BとC　　　④ AとBとC（全て正しい）

問5 自動車産業の動向に関連して、正しい説明を①〜④から一つ選びなさい。

① 自動運転技術の最高ランク（レベル5）に対応する車の公道走行は、既に法律で認められている。

② 国内自動車メーカーが開発を競う「全固体電池」は、電気自動車（EV）のさらなる普及に向けた起爆剤になると期待されている。

③ 国内自動車メーカーの「ゼロエミッション車」の販売台数（乗用車）は、年々減っている。

④ 車の「脱ガソリン」へ向け、ハイブリッド車（HV）の新車販売は国内で禁じられている。

⑫ 脱炭素社会への道のり

正解 120ページ

（☞公式テキスト52～55ページ）

問1 「2050年カーボンニュートラル」の実現に向けて、国はエネルギー関連の政策としてどのようなことを掲げていますか。その例に当てはまらないものを、①～④から一つ選びなさい。

① 2030年度までに、必要な電力の半分以上を、再生可能エネルギー（再エネ）や原子力といった「非化石燃料」で賄うことを目指す。

② 再エネの主力電源化に向けた切り札として、「洋上風力」の導入を進める。

③ 二酸化炭素（CO₂）を回収して再利用する「カーボンフットプリント」の研究開発を進める。

④ 排出されたCO₂を回収して地中に封じ込める「CCS」と呼ばれる技術の研究開発を進める。

問2 原子力発電所に関連する国の政策について、正しい説明を①～④から一つ選びなさい。

① 原発の運転期間は法律で「運転開始から原則40年」と定められ、どんなに延長しても60年を超えることは認められない。

② 「廃炉が決まった原発の建て替え（リプレース）」という形で次世代原発の建設を進めることが、政府の基本方針に明記された。

③ エネルギー基本計画（2021年閣議決定）は、核燃料サイクル政策を断念する一方、原発の新設・増設を進めると明記している。

④ 政府は、高レベル放射性廃棄物（「核のごみ」）の最終処分場を北海道内に建設することを決めた。

問3 カーボンプライシングの手法の一つである「排出量取引」に関する次のA、Bについて、正誤の正しい組み合わせを①～④から一つ選びなさい。

A：各企業に二酸化炭素（CO₂）排出量の上限（排出枠）を割り当て、排出量が上限を超えた企業は他社から排出枠を買う仕組みのことだ。

B：企業などの金銭的負担が大きいことから、政府は実施に消極的な立場をとっている。

① A－正　B－正　　② A－正　B－誤　　③ A－誤　B－正　　④ A－誤　B－誤

問4 石炭火力発電に関する国内の動向について、正しい説明を①～④から一つ選びなさい。

① 石油、石炭、天然ガスのうち、火力発電の燃料に占める割合が最も高いのは石炭だ。

② 右の円グラフの【A】には、インドネシアが当てはまる。

③ 政府は、二酸化炭素（CO₂）の排出量が多い「旧式」のものを含め、全ての石炭火力発電所を今後も使い続ける方針だ。

④ 政府は、燃焼時にCO₂を出さない「アンモニア」を使って、発電所から出るCO₂をゼロにする「ゼロエミッション火力」を推進している。

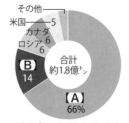

▼石炭の輸入先（2022年）

その他
米国 5
カナダ 6
ロシア 6
合計 約1.8億トン
【B】 14
【A】 66%

※財務省「貿易統計」を基に作成

問5 再生可能エネルギー（再エネ）の「固定価格買い取り制度（FIT）」について、正しい説明を①～④から一つ選びなさい。

① 東京電力福島第1原子力発電所の事故後、再エネによる発電量を増やす目的で導入された。

② 再エネの普及に伴い、電気料金に上乗せされる「賦課金」の総額は下がってきた。

③ 家庭用太陽光で発電された電力の買い取り価格は、年々上がってきた。

④ FITの導入によって再エネ発電事業者の負担が増したことを受け、既に廃止された。

■ その他のテーマ

正解 120ページ

問1 日本の名目国内総生産（GDP）に関する次のA～Cについて、正しい説明の過不足ない組み合わせを、①～④から一つ選びなさい。

A：米国に次ぐ「世界2位の経済大国」としての地位を長らく維持してきたが、中国の台頭を受けてその座を明け渡した（2010年）。

B：1人当たりの名目GDPランキング（ドル換算）は長らく、世界のトップ3を維持してきた。

C：2023年の名目GDP（速報値）は、ドイツに抜かれて世界4位となった。円安の進行の影響などを受けてドルに換算した金額が縮小したことなどが背景にある。

① AとB　　　　② AとC　　　　③ BとC　　　　④ AとBとC（全て正しい）

問2 資産形成に関する国内の動向に関連して、正しい説明を①～④から一つ選びなさい。

① 家計の金融資産のうち、近年は5割以上を「保険・年金など」が占めている。

② 岸田文雄内閣は「資産所得倍増プラン」（2022年決定）に基づき、「投資から貯蓄へ」を促す方針だ。

③ 新しい少額投資非課税制度（新NISA、2024年1月から）は、投資期間が無期限化されたほか、旧NISAと比べて年間投資額の上限が引き上げられた。

④ 老後の資産形成を促すため、個人型確定拠出年金（iDeCo）の加入可能年齢の上限が撤廃された。

問3 中央銀行（中銀）が発行するデジタル通貨（CBDC）を巡る国内外の動きに関連して、正しい説明を①～④から一つ選びなさい。

① 主要7カ国（G7）はCBDC導入時に留意すべき「共通原則」をまとめ、CBDC発行時期の足並みをそろえることで合意した。

② 世界の中銀で初めてCBDCを発行したのは、米連邦準備制度理事会（FRB）だ。

③ 日本銀行は「CBDCを発行することはない」と宣言し、「デジタル円」の実証実験を取りやめた。

④ CBDCは紙幣印刷などのコストがかからない一方で、当局が資金の流れを捕捉しやすく、運営の透明性の確保や、利用者のプライバシー保護が課題とされている。

問4 日本など計15カ国が参加する「地域的な包括的経済連携（RCEP）協定」（2022年発効）について、正しい説明を①～④から一つ選びなさい。

① 域内の人口、国内総生産（GDP）がともに世界の約3割を占める巨大経済圏だ。

② 環太平洋パートナーシップ協定（TPP）を離脱した米国が交渉をとりまとめた。

③ 東南アジア諸国連合（ASEAN）加盟各国は交渉に参加していたが、交渉途中で離脱した。

④ 関税撤廃率（品目数ベース）は、TPPを大幅に上回った。

問5 独占禁止法（独禁法）に関連して、正しい説明を①～④から一つ選びなさい。

① 企業が自社の発行済み株式を市場などで買い戻す「自社株買い」を禁じている。

② 事業活動を支配する目的で、他の株式会社の株式を保有することを禁じている。

③ 公正取引委員会による強制調査（犯則調査）は、独禁法の改正により廃止された。

④ 公正取引委員会は近年、独禁法違反（優越的地位の乱用）の適用範囲を広げてきた。

準2級　2級　1級　政治　経済　社会・環境　国際

13 加速する人口減少

正解 121ページ

（☞公式テキスト58〜61ページ）

問1 将来推計人口（2023年発表、中位推計）によると、直近の国勢調査があった2020年から2070年までの50年間でどのような変化が見込まれますか。正しい説明を①〜④から一つ選びなさい。

① 合計特殊出生率：一貫して下がり続ける。

② 総人口：おおむね5割に減る。

③ 生産年齢人口：減少率は、65歳以上人口の減少率よりも大きい。

④ 外国人の入国超過数：新型コロナウイルスの感染が拡大する以前の水準に回復することはない。

問2 日本の総人口について、正しい説明を①〜④から一つ選びなさい（この設問では2022年10月1日時点の総務省「人口推計」に基づいて考えることとします）。

① 「生産年齢人口」（15〜64歳人口）は約6割を占める。

② 65歳以上人口の割合（高齢化率）は25％を超えており、「超高齢社会」が目前に迫っている。

③ 日本人の人口（日本国籍を持つ人の数）に限ると1億人を下回っている。

④ 近年は「自然増減」と「社会増減」の両方で「減少」が続いている。

問3 合計特殊出生率は、2005年に戦後最低の1.26を記録した後、しばらくは上昇傾向を示しました。この背景の例に当てはまるものを、①〜④から一つ選びなさい。

① 母親となる年代の女性の人口が増えた。

② 50歳時未婚率が低下した。

③ 30歳代になってから出産するケースが増えた。

④ 乳児死亡率が上昇した。

問4 人口に関して「2025年問題」や「2040年問題」が指摘されています。それぞれの年にはどのようなことが起きるとされますか。正しい説明を①〜④から一つ選びなさい。

① 2025年：「団塊の世代」が全員、65歳以上の後期高齢者になる。

② 2025年：高齢化率が40％を超える。

③ 2040年：平均寿命が男女とも初めて80歳を超える。

④ 2040年：「団塊ジュニア世代」が全員、65歳以上の高齢者になる。

問5 世界の人口問題について、正しい説明を①〜④から一つ選びなさい。

① 中国は「一人っ子政策」を廃止した後、出生数の増加が続き、国別人口で世界一を維持している。

② 日本は他の先進国と比べて、高齢化率が7％から14％に達するまでの期間が短いという特徴がある。

③ 先進国共通の課題である少子化を背景に、国別人口のトップ10は全て新興国・途上国が占めている。

④ 国連の「世界人口推計」（2023年発表）によると、世界の人口は2030年ごろに頭打ちになり、その後は減少に転じるとみられている。

14 社会保障のこれから

正解 121ページ

(☞公式テキスト62～65ページ)

問1 政府は「異次元の少子化対策」の具体化に向け、2024年度から3年間集中的に、子育てのしやすい環境づくりに取り組みます。取り組みの目標や内容について、正しい説明を①～④から一つ選びなさい。

① 10年以上続いてきた「人口減」を反転させることを目標に掲げている。

② 対策の一環として、第3子以降への児童手当の増額や、大学授業料の無償化拡大を行う。

③ 政府が解消に努める「年収の壁問題」とは、パート従業員と正社員の収入格差を意味し、女性の社会進出の阻害要因ともされる。

④ 対策にかかる財源は、恩恵を受ける将来世代が負担するため、全額国債で賄う。

問2 高齢者を巡る制度や課題に関連して、正しい説明を①～④から一つ選びなさい。

① 政府が推進する「地域包括ケアシステム」は、在宅医療よりも入院を促す「自宅から病院へ」という考え方に基づいている。

② 75歳以上全員の医療保険料が、2024年度から引き上げられる。

③ 高齢者が高齢者を介護することで生じるさまざまな問題のことを、「8050問題」という。

④ 生活保護を受給する世帯の約半数が「高齢の単身世帯」だ。

問3 公的年金制度について、正しい説明を①～④から一つ選びなさい。

① 原則65歳から受給できるが、受給開始時期は各自が自由に60～75歳の範囲で変更できる。

② 2024年度の年金支給額の伸び率は、インフレーションの影響で「マクロ経済スライド」が適用されなかったため、物価や賃金の伸び率を下回った。

③ 厚生年金に加入できるのはフルタイムで働く正規雇用の労働者だけで、パートなどの短時間労働者は一切加入することができない。

④ 厚生年金を受給しながら65歳以上の人が働いて保険料を納めた場合、その分の受給額は退職するか70歳になるまで上乗せされない。

問4 公的医療保険制度について、正しい説明を①～④から一つ選びなさい。

① 保険診療と、保険の使えない薬や治療法を併用して受けた場合、医療費は原則として保険診療分も含めて全額が自己負担となる。

② 紹介状なしに大病院を受診すると、診察料と別の料金が徴収される制度は、廃止された。

③ 出産（正常分娩）には公的医療保険が適用され、産婦は医療機関の窓口で費用の3割を負担する。

④ マイナンバーカードに健康保険証の機能を持たせた「マイナ保険証」は、転職するたびに作り直さなければならない。

問5 社会保険制度に関する次のA～Dを、導入・開始時期の古い順に並べた時、正しい順番を①～④から一つ選びなさい。

A：全国民が何らかの公的年金制度に加入する「国民皆年金」
B：75歳以上の高齢者が加入する「後期高齢者医療制度」
C：国の制度として老人医療費を無料にする「老人医療費支給制度」
D：社会全体で高齢者を支えるとの考え方に基づく「介護保険制度」

① A→B→C→D ② A→C→D→B ③ C→A→B→D ④ C→D→A→B

15 変化する日本の働き方

正解 121、122ページ

（☞公式テキスト66〜69ページ）

問1 働き方を巡る国内の動向について、正しい説明を①〜④から一つ選びなさい。

① 近年、従業員の職務範囲をあらかじめ決めておき、専門性の高い人を雇う「メンバーシップ型雇用」を導入する動きがみられる。

② 企業などと雇用関係にない「フリーランス」が安心して働ける環境づくりを目指す新法が成立した（2023年）。

③ 最低賃金は2023年度の改定後、全国平均（加重平均）で初めて1000円を上回った。一方で、都道府県別で最も高い東京都と、最も低い県の間には、400円以上の差がある。

④ 働く意欲のある高齢者の就業機会を確保するため、定年を65歳以上とすることが全ての企業に義務づけられている。

問2 終業から次の始業まで一定の休息時間を設ける仕組みを【　A　】制度といいます。働き方改革関連法で、導入は【　B　】。【　A　】【　B　】に当てはまるものの正しい組み合わせを、①〜④から一つ選びなさい。

① A－高度プロフェッショナル　　B－企業の努力義務とされました

② A－高度プロフェッショナル　　B－大企業に限って義務づけられました

③ A－勤務間インターバル　　　　B－企業の努力義務とされました

④ A－勤務間インターバル　　　　B－大企業に限って義務づけられました

問3 改正育児・介護休業法（2023年全面施行）の内容として当てはまらないものを、①〜④から一つ選びなさい。

① 男性の育児参画を促すため、通常の育児休業（育休）とは別に取得できる「産後パパ育休」（男性版産休）が導入された。

② 男女を問わず、育休を分割して取得することが可能になった。

③ 従業員が自分やその配偶者の妊娠・出産を申し出た際に、企業が育休取得の意向を確認することを義務づけた。

④ フリーランスや自営業者を対象に、出産後の一定期間、給付金を受け取れる仕組みを創設した。

問4 次のグラフは、男女・年代別にみた【　　　】を示しています。男女のそれぞれの頂点や形の違いを基に、【　　　】に当てはまる言葉を①〜④から一つ選びなさい。なお、縦軸の単位は伏せています。

① 正規雇用率（役員を除く雇用者に占める、正規雇用者の割合）

② 労働力率（15歳以上の人口に占める、就業者と完全失業者の合計の割合）

③ 一般労働者（短時間労働者を除く）の月額賃金の平均

④ フルタイムで働く正社員のうち週50時間以上働く人の割合

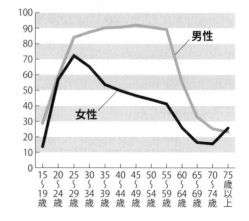

16 豊かな消費を守る

正解 122ページ

（☞公式テキスト70〜73ページ）

問1 消費者庁は2023年10月、ステルスマーケティング（ステマ）への規制を始めました。これに関する次のA〜Dのうち、正しい説明はどれですか。過不足ないものを①〜④から一つ選びなさい。

A：ステマの代表例は、広告主である企業が芸能人やインフルエンサーにお金を支払うなどして、SNS（ネット交流サービス）やブログに口コミを投稿してもらうケースだ。

B：景品表示法が禁じる「不当表示」に、ステマが加わった。不当表示とは、商品を実際より良く見せかける表示のことだ。

C：ステマ規制は世界でも類がなく、欧米よりも先行して規制が強化された。

D：違反した場合、ステマに関与した全員（広告主や投稿者など）が処罰の対象となる。

① Aのみ   ② AとB   ③ BとC   ④ CとD

問2 「エシカル消費」の例に当てはまらないものを、①〜④から一つ選びなさい。

① フェアトレード商品の購入

② モノカルチャー経済の維持に役立つ購買

③ ロハスに沿った生活様式

④ アニマルウェルフェアに配慮した食品の購入

問3 「食」を巡る制度や動向について、正しい説明を①〜④から一つ選びなさい。

① 弁当や生菓子などに表示される「消費期限」とは「おいしく食べられる期限」を意味し、期限を過ぎてもすぐに安全性に問題が生じるわけではない。

② 国内で発生する「食品ロス」のうち、約8割は食品関連事業者から排出され、家庭からの排出は残りの約2割にとどまる。

③ 食物アレルギーの原因となりやすい卵やエビについて、加工食品に含まれていることの表示は努力義務にとどまっている。

④ 国内で製造される全ての加工食品に、原材料の原産地表示が義務づけられている。

問4 次のA〜Cは、消費者政策に関する法律や機関についての説明です。これらのうち、正しい説明はどれですか。過不足ないものを①〜④から一つ選びなさい。

A：「消費者の保護」を重視する消費者保護基本法は、消費者の「権利の尊重」と「自立支援」を消費者政策の基本理念と位置づけた消費者基本法の全面改正によって制定された。

B：消費者庁に置かれている消費者安全調査委員会（消費者事故調）は、生命、身体にかかわる消費者事故の原因究明を担う。

C：消費者への情報提供などを担う国民生活センターは、消費者庁と同時に設置された。

① Aのみ   ② AとC   ③ Bのみ   ④ BとC

問5 消費者被害がたびたび社会問題になってきた「預託商法（販売預託商法）」について、正しい説明を①〜④から一つ選びなさい。

① 「お試し無料」などとうたいながら、実際には高額な定期購入の契約を結ばせる手法だ。

② 「ネガティブ・オプション」とも呼ばれる。

③ 過去に扱われた商品には例えば、「和牛のオーナーになる権利」や「健康器具」がある。

④ 預託商法を規制する法律はなく、速やかな法整備を求める声がある。

■ その他のテーマ

正解 122ページ

問1 日本の社会保障制度に関連して、正しい説明を①〜④から一つ選びなさい。

① 日本国憲法は、世界で初めて「生存権」を保障した先進的な憲法だとされる。

② 生活保護の運用を巡る「朝日訴訟」で、最高裁判所は「憲法の生存権規定は国民個人の具体的権利と国の義務を定めている」という判断を示した。

③ 「堀木訴訟」で、最高裁は「障害福祉年金と児童扶養手当の併給を認めるか否かは、国会の裁量の範囲内だ」という判断を示した。

④ 公衆衛生の向上を図る保健所は、地方自治体がそれぞれの判断で設置する機関だ。

問2 「パワハラ」「セクハラ」といった職場でのハラスメントを巡る現状について、正しい説明を①〜④から一つ選びなさい。

① 日本は「ハラスメント禁止条約」(2021年発効)を批准していない。

② パワハラ、セクハラの行為自体を禁じる国内法は、既に施行されている。

③ 職場でのパワハラだけでなく、顧客らによるカスタマーハラスメント(カスハラ)についても、防止措置を講じることが企業に義務づけられている。

④ セクハラの防止措置を講じることは、男女雇用機会均等法で企業の努力義務にとどまる。

問3 健康食品のうち、次の表の「特定保健用食品(トクホ)」と【　A　】【　B　】は機能性(体への効果)を表示できます。この3種類の食品を総称して何といいますか。正しいものを①〜④から一つ選びなさい。

① 保健機能食品

② 機能性表示食品

③ 栄養機能食品

④ 健康補助食品

特定保健用食品（トクホ）	【　A　】	【　B　】
人に対する製品の安全性と効果を国が審査し、表示を許可	事業者が自己責任で、安全性と効果の科学的根拠を消費者庁に届け出　※マークなし	安全性と効果が分かっているビタミン・ミネラルなどの栄養素について、含有量が基準を満たせば決められた表示ができる　※マークなし
＜例＞「おなかの調子を整えます」「血糖値が気になる方に」	＜例＞「本品には○○が含まれ、内臓脂肪を減らす機能があることが報告されています」	＜例＞「カルシウムは、骨や歯の形成に必要な栄養素です」

問4 不平等や貧困、格差などを表す指標について、正しい説明を①〜④から一つ選びなさい。

① 所得格差を0〜1の間で示す「ジニ係数」は、例えば、所得の再分配効果を測る時に用いられる。

② 生活水準を測る指標の一つである「エンゲル係数」は、一般に値が低いほど生活水準も低いとされる。

③ 「絶対的貧困率」は、全国民の年間の手取り収入を少ないほうから並べた時、中央の金額の半分より少ない人の割合を示す。

④ 国民生活の豊かさを示す「人間開発指数」は、国内総生産(GDP)と同様に経済的側面のみに着目した指標だ。

17 子どもと教育のいま

正解　123ページ

(☞公式テキスト76～79ページ)

問1 教育政策について、正しい説明を①～④から一つ選びなさい。

① 不登校の子どもらが通うフリースクールや家庭での学習は、義務教育の一形態として法律で認められている。

② 「いじめ防止対策推進法」(2013年施行)は、いじめを「(被害者が)心身の苦痛を感じているもの」などと幅広く定義し、インターネットを通じて行われるものも含めている。

③ 学校教育におけるデジタル教科書の導入は、発音の学習に有効な「英語」に限って認められたが、ほかの教科については公平性の観点から認められていない。

④ 公立小学校の1学級当たりの法定上限人数を引き上げ、全ての学年で40人にすることが決まっている。

問2 子どもに関する行政や法律について、正しい説明を①～④から一つ選びなさい。

① こども家庭庁は「縦割り行政の打破」を目指し、これまで文部科学省が担当してきた幼稚園と、厚生労働省が担当してきた保育所を一元的に管轄している。

② こども基本法(2023年施行)は、子どもの「意見を表明する機会」(意見表明権)を確保して、その意見を子ども施策に反映させるよう、国や地方自治体に求めている。

③ 子どもに対する性犯罪歴のある人が、子どもに関わる仕事に就くことを制限する仕組みが一切ないことが、問題になっている。

④ 現行法では、子どもの親権は離婚後も父母双方が担うことが義務づけられている。

問3 子どもに関する課題や社会的養護に関連して、正しい説明を①～④から一つ選びなさい。

① 「子どもの貧困率」とは、「絶対的貧困」の状態にある家庭で暮らす子どもの割合を意味する。

② 介護の担い手を増やすために新設された、介護福祉士の早期養成プログラムに義務教育段階から参加する子どもは、「ヤングケアラー」と呼ばれる。

③ 親が子を養育できない場合、国は施設よりも里親などによる「家庭養育」を優先する方針だ。

④ 戸籍の上でも子どもが養親の「実子」となる特別養子縁組について、国は慎重な利用を促すため子どもの対象年齢の上限を引き下げた。

問4 学校教育の現状について、誤っている説明を①～④から一つ選びなさい。

① 障害の有無を問わず全ての子どもが共に学ぶ「インクルーシブ教育」を進める国際的な流れを受け、日本でも障害のある子どもが通う特別支援学級の在籍者数は年々減っている。

② 国の「ＧＩＧＡスクール構想」に基づく小中学生へのデジタル端末の配布は、新型コロナウイルス感染症に対応する必要もあり、当初の計画より前倒しでほぼ完了した。

③ 理工系学部に入学する女子学生の割合が他の先進国と比べて低いことから、入学者選抜に女子学生の定員枠を設ける大学が増える傾向にある。

④ 社会人が転職や再就職を目指して大学などで学び直すことは「リカレント教育」と総称され、国が推奨している。

準2級　2級　1級　政治　経済　暮らし　社会・環境　国際　正解

18 共生社会への道のりは

正解 123ページ

（☞公式テキスト80〜83ページ）

問1 性的少数者に関連する動きについて、正しい説明を①〜④から一つ選びなさい。

① 同性婚を認めないのは違憲だとして当事者らが国を訴えた裁判で、「同性カップルの利益を保護する立法措置は日本国憲法で禁じられている」との判断を示した裁判所がある。

② 省庁で働くトランスジェンダー女性に対し、雇用主としての国が職場の女性トイレの使用を制限した問題で、最高裁判所は国の対応を適法と判断し、女性の請求を退けた（2023年）。

③ 戸籍上の性別変更の要件として、生殖機能をなくす手術を求める「性同一性障害特例法」の規定について、最高裁は違憲と判断した（2023年）。

④ ＬＧＢＴ理解増進法（2023年施行）は、性的少数者であることを本人の同意なく暴露する「アウティング」を罰則付きで禁じた。

問2 日本で働く外国人や難民認定制度について、正しい説明を①〜④から一つ選びなさい。

① 「特定技能」の在留資格で働けるのは最長でも数年で、その後は全員帰国しなければならない。

② 難民と認定された人の就労先や出入国は、日本国籍を持つ人と比べて大幅に制限されている。

③ 不法滞在の外国人などを国が入国管理施設に収容する際は、裁判所が事前審査をする。

④ 改正出入国管理及び難民認定法（入管法）が成立し（2023年）、難民認定申請中の外国人の強制送還が法的に可能となる。

問3 障害者の権利などを巡る国内の動きについて、正しい説明を①〜④から一つ選びなさい。

① 日本は、障害者の人権や基本的自由などを保障する障害者権利条約を批准していない。

② 障害者差別解消法は、「合理的配慮」（障害者の状況に応じた社会的障壁を、無理のない範囲で取り除くこと）を国と地方自治体の努力義務にとどめている。

③ 障害者らへの不妊手術の強制などを定めた旧優生保護法（1948〜96年）を巡り、被害者救済法が制定される一方、旧法の違憲性や国の責任を問う裁判が各地で起こされている。

④ 企業は一定割合の障害者を雇うことが法律で義務づけられている。この「法定雇用率」は、障害の重さや働く時間に関わらず、全従業員に占める障害者の実人数で算定する。

問4 女性が活躍できる場を作る取り組みや現状に関連して、正しい説明を①〜④から一つ選びなさい。

① 男女共同参画社会基本法は、男女格差を解消するために女性を優遇する「積極的改善措置」（ポジティブアクション）について、逆差別に当たるとして禁じている。

② 世界各国の男女平等度を評価する「ジェンダーギャップ指数」（2023年）で、日本の順位は世界の中では下位だが、アジアの中ではトップだった。

③ 結婚や家族の姿の多様化に対応するため、税制の「配偶者控除」を堅持すべきだとの意見がある。

④ 男女雇用機会均等法は、転居を伴う転勤に応じられることを昇進の条件にするなどの「間接差別」を禁じている。

問5 最高裁判所の判断に関する次のＡ、Ｂについて、正誤の正しい組み合わせを①〜④から一つ選びなさい。

Ａ：選択的夫婦別姓制度について、「合理性がない」と断じた。

Ｂ：婚姻に準じた「事実婚（内縁）」の関係は同性カップルの間では「成立しえない」との判断を示した。

① Ａ−正 Ｂ−正　　② Ａ−正 Ｂ−誤　　③ Ａ−誤 Ｂ−正　　④ Ａ−誤 Ｂ−誤

19 司法と人権保障

正解 123、124ページ

(☞公式テキスト84～87ページ)

問1 次の文章を読んで、【　A　】～【　C　】に当てはまるものの正しい組み合わせを①～④から一つ選びなさい。

> 警察・検察に逮捕されたり、有罪判決を受けて刑務所に服役したりした人が後に無罪になったら、自由を奪われたことで生じた損害への補償を国に求めることができる。日本国憲法40条や【　A　】に基づく制度で、刑事手続き（捜査や身柄拘束など）が【　B　】請求できる。これとは別に、【　C　】に基づく損害賠償請求訴訟を起こすこともできる。公開の法廷で審理されるため、捜査機関などの責任を追及する狙いで提訴する場合もある。

① 　A－刑事補償法　　　B－違法だった場合に限って　　　C－国家賠償法
② 　A－刑事補償法　　　B－適法か違法かを問わず　　　C－国家賠償法
③ 　A－国家賠償法　　　B－違法だった場合に限って　　　C－刑事補償法
④ 　A－国家賠償法　　　B－適法か違法かを問わず　　　C－刑事補償法

問2 性犯罪に関する規定は、2017年、2023年と2度の刑法改正によって厳罰化されてきました。現行法の内容について、正しい説明を①～④から一つ選びなさい。

① 　「性的行為に同意がなかった」と被害者が主張するだけで犯罪が成立する。
② 　加害者や被害者の性別にかかわらず犯罪が成立し得る。
③ 　起訴するには、被害者による告訴（犯罪事実を申告して犯人の処罰を求めること）が必要だ。
④ 　性交同意年齢（性的行為への同意を自分で判断できるとみなされる年齢の下限）は18歳で、18歳未満との性的行為は原則として処罰対象になる。

問3 次のA～Dは、現行の少年法（2022年施行）における「特定少年」（18、19歳の少年）の扱いに関する説明です。これらのうち、正しいものの組み合わせを①～④から一つ選びなさい。

A：一定の条件を満たせば、検察官は家庭裁判所に送らずに起訴できる。
B：家裁が原則として検察官送致（逆送）すべき事件の種類は、18歳未満の少年よりも多い。
C：本人を推定できる記事や写真を出版物に載せることが、起訴された時点で解禁される。
D：18歳未満の少年と同様に、死刑は科されない。

① 　AとB　　　　　② 　AとD　　　　　③ 　BとC　　　　　④ 　CとD

問4 検察審査会による「強制起訴制度」について、正しい説明を①～④から一つ選びなさい。

① 　検察審査会が設置された当初から導入されている。
② 　検察官の不起訴処分に対して、検察審査会が「不起訴不当」と議決することで強制起訴される。
③ 　強制起訴と、その後の裁判における犯罪の立証は、検察官役の「指定弁護士」が担う。
④ 　強制起訴された事件では、大半の事例で有罪が確定している。

検察審査員の候補者に送られる書類（見本）。18歳以上の有権者の中からくじで選ばれ、任期は6カ月

20 情報社会に生きる

正解 124ページ

（☞公式テキスト88〜91ページ）

問1 人工知能（ＡＩ）に関連して、正しい説明を①〜④から一つ選びなさい。

① 生成ＡＩの一種「チャットＧＰＴ」は、入力された文章の意味・内容を人間と同様に理解することで、人間のような自然な受け答えを可能にしている。

② ＡＩに学習させる目的で著作物を利用することは、原則として著作権者の許諾なしにできると著作権法で定められている。

③ 日本は、世界初となる包括的なＡＩ規制法の制定を目指している。

④ 人間を介さず、ＡＩが自ら判断して攻撃する兵器の開発は、国際法で禁じられている。

問2 インターネット広告の一種「ターゲティング広告」や、サイト利用者の閲覧状況に関するデータ「クッキー（Cookie）」について、次の図も参考に正しい説明を①〜④から一つ選びなさい。

① ターゲティング広告とは、ブログなどで商品を紹介し、閲覧者がその商品を購入すると、広告作成者に報酬が入る仕組みの広告のことだ。

② ターゲティング広告を巡って個人情報保護の観点から主に問題視されているのは「ファーストパーティークッキー」だ。

③ 国内法でクッキーは個人情報と位置づけられており、事業者が使うにはサイト利用者の同意を事前に得ることが義務づけられている。

④ ＩＴ大手の中には、「サードパーティークッキー（３Ｃ）」をブラウザーから排除する仕組みを導入している例がある。

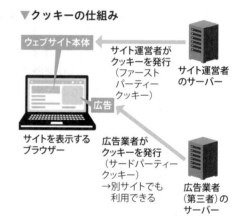

▼**クッキーの仕組み**

ウェブサイト本体

サイト運営者がクッキーを発行（ファーストパーティークッキー）

サイト運営者のサーバー

サイトを表示するブラウザー

広告

広告業者がクッキーを発行（サードパーティークッキー）→別サイトでも利用できる

広告業者（第三者）のサーバー

問3 「忘れられる権利」について、正しい説明を①〜④から一つ選びなさい。

① 他人に知られたくない過去の個人情報が載っている書籍について、出版差し止めを求めることができる権利のことだ。

② 日本国憲法には明記されていないが、個人情報保護法には明記されている。

③ 「法的に保護される権利だ」と最高裁判所が判断した例がある。

④ 欧州連合（ＥＵ）の一般データ保護規則（ＧＤＰＲ）では、法的権利として認められている。

問4 次の文章を読んで、【　Ａ　】【　Ｂ　】に当てはまる言葉の正しい組み合わせを①〜④から一つ選びなさい。

コンピューターによる計算方法や処理の手順を【　Ａ　】という。インターネットでは、【　Ａ　】によって利用者の閲覧履歴や個人情報が分析され、利用者に好まれそうな情報が優先的に表示される。このように自分好みの情報ばかりに取り囲まれる状況は【　Ｂ　】と呼ばれる。

① Ａ−アルゴリズム　　Ｂ−フィルターバブル

② Ａ−アルゴリズム　　Ｂ−メディアスクラム

③ Ａ−ビッグデータ　　Ｂ−フィルターバブル

④ Ａ−ビッグデータ　　Ｂ−メディアスクラム

21 いのちと科学を考える

正解 124、125ページ

(☞公式テキスト92〜95ページ)

問1 新型コロナウイルス感染症をはじめとする感染症や、感染症対策の中核とされるワクチンに関連する次のA〜Dについて、正しい説明の組み合わせを①〜④から一つ選びなさい。

A：新型コロナの感染症法上の分類が「5類」に改められたことで、患者に対応できる医療機関は減った。

B：新型コロナワクチンの多くは「メッセンジャー（m）RNAワクチン」というタイプで、従来のワクチンと比べて開発期間を短縮できる、という特徴がある。

C：ワクチン接種などによって期待される「集団免疫」とは、集団の中の一定割合以上の人が免疫を持つことで、他の人にうつしにくくなる効果のことだ。

D：天然痘ウイルスを媒介する生物を絶滅させたことで、人類は天然痘の根絶に成功した。

① AとB　　② AとD　　③ BとC　　④ CとD

問2 認知症基本法が2023年、成立しました。これに関連する次のA〜Cのうち、正しい説明の過不足ない組み合わせを①〜④から一つ選びなさい。

A：認知症基本法には、政策立案の際に患者本人や家族の意見を聞くよう国や地方自治体に求める規定が盛り込まれている。

B：高齢ドライバーによる交通事故が社会問題になったことを背景に、75歳以上の人が自動車の運転免許を更新する際には、認知機能検査を受けることが義務づけられている。

C：製造・販売が承認されているアルツハイマー病の治療薬には、壊れた神経細胞を修復して認知症を根治する効果が期待されている。

① AとB　　② AとC　　③ BとC　　④ AとBとC（全て正しい）

問3 生物の全遺伝情報「ゲノム」や、遺伝子を狙い通りに改変できる「ゲノム編集」に関連して、正しい説明を①〜④から一つ選びなさい。

① ヒトのゲノムは解読の途上にある。

② 遺伝子を改変する精度は、ゲノム編集のほうが「遺伝子組み換え」と比べて低いとされる。

③ ゲノム編集で品種改良した食品は全て、その旨を表示しなければ国内で販売することができない。

④ 「がんゲノム医療」とは、患者の遺伝子の特徴を調べて効果が見込める治療薬を探す医療だ。

問4 女性の妊娠・出産に関連して、誤っている説明を①〜④から一つ選びなさい。

① 性や生殖に関することを自ら自由に決定でき、そのための情報と手段を得られる権利を「リプロダクティブ権」という。

② 望まない妊娠を防ぐため性交後に服用する「緊急避妊薬（アフターピル）」について、医師の処方箋なしに薬局で販売する試験的な取り組みが始まった。

③ 胎児の染色体異常を推定する「新型出生前診断（NIPT）」を巡っては、異常が確定した妊婦の大半が人工妊娠中絶したというデータがある。

④ 母親が病院以外に身元を明かさず出産する「内密出産」の仕組みが、法律に基づいて定められている。

㉒ 災害と日本

正解 125ページ

(☞公式テキスト96〜99ページ)

問1 自然災害を巡る国や地方自治体の対応について、<u>誤っている説明</u>を①〜④から一つ選びなさい。

① 豪雨災害の一因とされる線状降水帯について、気象庁は発生の速報や予測情報を発表している。

② 市区町村が出す避難情報のうち「高齢者等避難」は、災害の危険性が最も高い「警戒レベル5」に対応する。

③ 国は、自然災害による直接死ではなく、避難生活による疲労やストレスなどが間接的な原因となって、災害から一定期間後に死亡するケースを「災害関連死」と定義している。

④ 自力での避難が難しい高齢者ら一人一人について、避難先や避難の支援者を定める「個別避難計画」の作成が、法律で市区町村の努力義務とされている。

問2 関東大震災（1923年）と、近い将来予想される地震について、正しい説明を①〜④から一つ選びなさい。首都直下地震は、被害想定の中心とされる都心南部直下地震について考えることとします。

① 関東大震災：法令上の耐震基準を満たすレンガ造りの建物は、その大半が倒壊を免れた。

② 首都直下地震：関東大震災と同じマグニチュード（M）8級の地震を想定している。

③ 日本海溝地震・千島海溝地震：火災を中心とする人的被害が想定されている。

④ 南海トラフ巨大地震：太平洋側の地域で、津波を中心とする被害が想定されている。

問3 地震の揺れは一般に、震源から遠い場所ほど小さくなります。しかし、大地震で生じた【　】地震動は、遠くの高層ビルを大きく揺らす場合があります。次の図も参考に、【　】に当てはまる言葉を①〜④から一つ選びなさい。

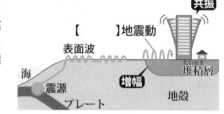

① P波　　② S波　　③ 長周期　　④ 短周期

問4 東日本大震災（2011年）の被災地や、震災で事故を起こした東京電力福島第1原子力発電所の現状について、正しい説明を①〜④から一つ選びなさい。

① 被災地：放射性物質を取り除く除染作業が、帰還困難区域の全域で始まった。

② 被災地：原発事故により避難した人々への損害賠償金は、国が負担している。

③ 原発：原子炉内で溶け落ちた核燃料（燃料デブリ）の取り出しは完了していない。

④ 原発：燃料デブリは廃炉作業で回収された後、全て福島県外に搬出されることが決まっている。

問5 東京電力福島第1原子力発電所の「処理水」の放出が2023年8月、始まりました。処理水に関する次のA〜Cについて、正誤の正しい組み合わせを①〜④から一つ選びなさい。

A：処理水とは、原子炉建屋内で生じる「汚染水」から放射性物質を完全に取り除いたものだ。

B：処理水は海水で薄められたうえで、海洋放出されている。

C：国際原子力機関（IAEA）は処理水の放出について、「国際的な基準に合致する」「処理水の放出が人および環境に与える放射線の影響は無視できる」との包括報告書を公表した。

① A－正　　B－正　　C－誤

② A－正　　B－誤　　C－誤

③ A－誤　　B－正　　C－正

④ A－誤　　B－誤　　C－正

23 地球環境を守るために

正解 125、126ページ

(☞公式テキスト100〜103ページ)

問1 気候変動適応法に関連して、地球温暖化対策の「適応策」の例に当てはまらないものを、①〜④から一つ選びなさい。

① 温室効果ガス排出量の削減　　　② 河川の堤防のかさ上げ

③ 高温に耐える農作物の品種開発　　④ 熱中症対策のための情報発信

問2 次のA、Bは気候変動に関する政府間パネル（IPCC）が公表した第6次統合報告書（2023年）の内容、C、Dは報告書などを基に議論された、2023年の国連気候変動枠組み条約第28回締約国会議（COP28）の成果文書に関する説明です。正しいものの組み合わせを①〜④から一つ選びなさい。

A：現在進行中の地球温暖化が人間の活動によるものかは「分からない」と述べるにとどめた。

B：気温上昇を「産業革命前から1.5度に抑える」という国際目標について、各国の現状の対策のままでは2030年代前半には1.5度に達してしまうという見方を示した。

C：化石燃料の使用を2030年までのできるだけ早い時期に、廃止することで合意した。

D：再生可能エネルギー容量（発電能力）を2030年までに世界全体で3倍にする目標が盛り込まれた。

① AとC　　　② AとD　　　③ BとC　　　④ BとD

問3 地球温暖化対策の京都議定書とパリ協定について、正しい説明を①〜④から一つ選びなさい。

① 京都議定書：温室効果ガスの排出削減目標が国別に設定されたが、未達成でも罰則はなかった。

② 京都議定書：温室効果ガスの排出削減は先進国だけに義務づけられ、中国などの新興国・途上国は対象外とされた。

③ パリ協定：途上国を含む全締約国に対して一律に温室効果ガス削減目標が課され、「経済活動を低迷させる」との批判が上がっている。

④ パリ協定：先進国が途上国で温室効果ガスを削減する事業をした場合、削減分を自国の削減量に上乗せできる「市場メカニズム」が初めて導入された。

問4 環境問題を巡る国際的な取り組みについて、正しい説明を①〜④から一つ選びなさい。

① オゾン層保護のための「カルタヘナ議定書」の規制対象には、温室効果が高い代替フロンが含まれる。

② 生物多様性条約に基づく「愛知目標」の後継として、陸・海の生態系保全を目指す新たな国際目標が定められている。

③ 「モントリオール議定書」は、遺伝子組み換え生物の拡散を防ぐ国際的な取り決めだ。

④ 「バーゼル条約」は、プラスチック（プラ）汚染の対策に特化した国際ルールだ。

問5 「四大公害病」について、正しい説明を①〜④から一つ選びなさい。

① イタイイタイ病を巡る救済問題は、国の基準で患者と認定されていない人たちについて原因企業と被害者団体が合意書を交わしたことで、全面解決に至った。

② 四日市ぜんそくの原因物質は、石炭火力発電所から排出されたダイオキシン類だ。

③ 新潟水俣病は神通川流域で、イタイイタイ病は阿賀野川流域で起きた。

④ 水俣病被害者救済特別措置法は、水俣病、新潟水俣病の患者と認定された人への救済策を充実させる目的で制定された。

◼ その他のテーマ

正解 126ページ

問1 親と子を巡る国内外のルールについて、正しい説明を①～④から一つ選びなさい。

- ① 子どもの権利条約は、表現の自由や少数民族の子どもの権利の保障も定めているため、こうした人権問題を重視する国・地域のみが参加している。
- ② 親の一方が勝手に子どもを国外へ連れ出した場合、もう一方の親が元いた国に連れ戻す手続きなどを定めたハーグ条約に、日本は加盟していない。
- ③ 日本ではこれまで、女性が再婚後に現夫との子を出産しても、民法の規定により前夫の子とされる例があった。
- ④ 子に対する親の「懲戒権」を定めた民法の規定が改正され、現在は子の利益になる場合にのみ認められている。

問2 差別解消や共生社会を目指す法令について、正しい説明を①～④から一つ選びなさい。

- ① 聴覚障害者があらゆる場面で手話を使って暮らせる社会を目指す「手話言語法」が、地方自治体の手話言語条例に先立って制定された。
- ② 飲食店や商業施設などの事業者は、盲導犬や介助犬などを同伴した身体障害者を受け入れる「努力義務」を負う。
- ③ アイヌの先住権（先住民族が伝統的に所有・使用してきた土地や資源に対する権利）は、アイヌ施策推進法（2019年施行）で保障されている。
- ④ ヘイトスピーチに対する刑事罰を条例で定めた自治体がある。

問3 死刑制度に関連して、正しい説明を①～④から一つ選びなさい。

- ① 最高裁判所は、死刑とその手段（絞首刑）は日本国憲法で禁じられた「残虐な刑罰」に当たらないと判断している。
- ② 法定刑に死刑が含まれる事件の裁判は、裁判員制度の対象外だ。
- ③ 歴代法相は全員、在任中に最低1回は死刑執行命令を出している。
- ④ 再審請求中の死刑確定者に対する死刑執行は、法律で禁じられている。

問4 近年の豪雨では、「外水氾濫」に限らず「内水氾濫」による浸水被害も目立ちます。次のA～Cのうち、内水氾濫に当てはまる説明はどれですか。過不足ない組み合わせを、①～④から一つ選びなさい。

A：下水道の排水能力を超える大雨が降り、あふれ出た雨水で市街地が浸水する。
B：川の水が堤防を越えて、堤防で守られている市街地の側にあふれ出す。
C：堤防を備えた本川に中小河川（支川）から大量の雨水を流せなくなり、支川から水があふれ出る。

① AとB   ② AとC   ③ BとC   ④ AとBとC（全て当てはまる）

問5 環境の保護・保全を進める政策を「規制的手法」と「経済的手法」に分類する場合、規制的手法の例に当てはまるものを、①～④から一つ選びなさい。

- ① 大気汚染物質の排出基準を定め、違反した企業にペナルティーを科す。
- ② 燃費の良い新車を買った場合、車にかかる税金を軽減する。
- ③ パリ協定の「市場メカニズム」に類似した仕組みを国内で設ける。
- ④ 化石燃料を使った製品の価格が上がるように、炭素税をかける。

発電所から出る煙は、大気汚染の一因となる＝ロシアで2018年

24 平和な世界どうやって

正解 126ページ

（☞公式テキスト106〜109ページ）

問1 ロシアによるウクライナ侵攻（2022年〜）に関連する次のＡ〜Ｃのうち、正しい説明はどれですか。
過不足ないものを①〜④から一つ選びなさい。

> Ａ：ロシアに対する欧米や日本の経済制裁は、国連安全保障理事会の決議に基づく。
> Ｂ：サイバー攻撃やＳＮＳ（ネット交流サービス）を駆使した情報戦が展開された。
> Ｃ：戦争犯罪などで個人を裁く国際刑事裁判所（ＩＣＣ）には、国連の全加盟国が参加している。

① Ａのみ　　　　② ＡとＢ　　　　③ Ｂのみ　　　　④ ＡとＢとＣ（全て正しい）

問2 パレスチナ問題に関連して、正しい説明を①〜④から一つ選びなさい。

① パレスチナのイスラム組織ハマスは、オスロ合意（1993年）を承認している。

② ハマスは現在、パレスチナ自治区であるヨルダン川西岸地区を支配している。

③ イスラエルが現在、エルサレムを首都と位置づけているのに対して、パレスチナ側も「エルサレムの一部は、将来のパレスチナ国家の首都だ」としている。

④ 米国のバイデン政権は、一貫してイスラエルとパレスチナの「２国家解決」に反対の立場を取ってきた。

問3 国連に関連して、正しい説明を①〜④から一つ選びなさい。

① 国連以前の国際機構である「国際連盟」は、国際紛争の侵略国に対して軍事制裁を科すことができなかった。一方、国連は憲章で、軍事制裁を規定している。

② 国連が採用する「集団安全保障」は、各国が個別に同盟関係を結び、同盟国が攻撃された場合は自国が直接攻撃されていなくても反撃できる、という仕組みだ。

③ 国連安全保障理事会が拒否権の行使で機能しない場合に招集される国連総会の「緊急特別会合」は、パレスチナ自治区ガザ地区での軍事衝突（2023年10月〜）を受けて史上初めて開催された。

④ 国連事務総長の選任にあたり、安保理の常任理事国は拒否権を行使することができない。

問4 次の①〜④は国際紛争などを巡る軍事行動の例です。これらのうち、武力行使容認を明示した国連安全保障理事会の決議に基づくものを、一つ選びなさい。

① クウェートに侵攻したイラクを、米国などの多国籍軍が空爆した（1991年）。

② コソボの独立を巡る紛争で、北大西洋条約機構（ＮＡＴＯ）軍が旧ユーゴスラビアを空爆した（1999年）。

③ 米同時多発テロ後、米軍などがイラクを攻撃した（2003〜11年）。

④ シリアの内戦でアサド政権が化学兵器を使ったとして、米軍などがシリアの化学兵器関連施設を攻撃した（2018年）。

問5 難民問題に関する次のＡ〜Ｃについて、正誤の正しい組み合わせを①〜④から一つ選びなさい。

Ａ：難民条約は、迫害される危険がある地域へ難民を送還することを禁じている。
Ｂ：「ＵＮＲＷＡ（アンルワ）」は、パレスチナ難民の救済のために米国が設立した支援組織だ。
Ｃ：日本政府は、難民条約（1981年加入）とは異なる枠組みで難民を受け入れたことがある。

① Ａ−正　　Ｂ−正　　Ｃ−誤　　　　② Ａ−正　　Ｂ−誤　　Ｃ−正

③ Ａ−誤　　Ｂ−正　　Ｃ−正　　　　④ Ａ−誤　　Ｂ−誤　　Ｃ−正

25 核兵器と向き合う世界

正解 127ページ

(☞公式テキスト110～113ページ)

問1 米国、ロシアの核戦略と核軍縮の取り組みについて、正しい説明を①～④から一つ選びなさい。

① 米国は、核戦略の指針「核態勢見直し」（ＮＰＲ）に「核の先制不使用」を盛り込んでいる。

② 米国は、核実験全面禁止条約（ＣＴＢＴ）を批准している。

③ ロシアは、他国からの通常兵器による攻撃であっても、国家存続が脅かされる時は「核兵器を使用できる」とする原則を掲げている。

④ 新戦略兵器削減条約（新ＳＴＡＲＴ）から米露両国が離脱したことにより、現存する米露間の核軍縮条約は、中距離核戦力（ＩＮＦ）全廃条約のみとなった。

問2 核兵器を巡る世界の動向に関連して、正しい説明を①～④から一つ選びなさい。

① 核兵器禁止条約（核禁条約）は、核兵器の保有を一部の国に認める核拡散防止条約（ＮＰＴ）について、廃止を求める方針を掲げている。

② ＮＰＴに加盟する非保有国は、国際原子力機関（ＩＡＥＡ）の査察を受け入れる義務を負う。

③ 部分的核実験禁止条約（ＰＴＢＴ）は、地下核実験を禁じている。

④ 核実験全面禁止条約（ＣＴＢＴ）は、冷戦終結直後に発効した。

問3 北大西洋条約機構（ＮＡＴＯ）加盟国を含む地図中のア～エのうち、次のＡ～Ｃに当てはまる国の正しい組み合わせを、①～④から一つ選びなさい。

Ａ：冷戦終結以前からのＮＡＴＯ加盟国だ。
Ｂ：かつてのソ連構成国だ。
Ｃ：2023年にＮＡＴＯに加盟した。

① Ａ－ア　　Ｂ－イ　　Ｃ－ウ
② Ａ－イ　　Ｂ－エ　　Ｃ－ア
③ Ａ－エ　　Ｂ－イ　　Ｃ－ア
④ Ａ－エ　　Ｂ－ア　　Ｃ－イ

問4 イラン核合意（2015年）とその背景に関連して、正しい説明を①～④から一つ選びなさい。

① イラン核合意は、米国、ロシア、イランの３カ国による合意だ。

② イラン核合意は、イランが保有する核兵器を放棄する見返りに、各国がイランに対する経済制裁を解除する、という内容だ。

③ 米国はトランプ政権時にイラン核合意から離脱したが、バイデン政権の発足直後に復帰した。

④ イラン革命（1979年）後に発生した米大使館占拠事件を機に、イランと米国は現在に至るまで断交している。

問5 朝鮮戦争やその後の朝鮮半島情勢について、正しい説明を①～④から一つ選びなさい。

① 朝鮮戦争の「休戦協定」（1953年）には、関係する全ての国・地域が署名した。

② 南北首脳会談（2018年）で署名された「板門店宣言」によって、朝鮮戦争は法的に終結した。

③ 韓国の尹錫悦政権は、南北対話および平和協定の締結を最重要事項に掲げている。

④ 北朝鮮は、米国本土を射程に収める大陸間弾道ミサイル（ＩＣＢＭ）を発射したことがある。

26 米国 次のリーダーは

正解 127ページ

（☞公式テキスト114、115ページ）

政治

経済

問1 米国の大統領選挙に関連して、正しい説明を①〜④から一つ選びなさい。

① 大統領選（本選）には民主党と共和党から候補者として指名された人のみが立候補できる。

② 大統領候補に実際に投票する「選挙人」は、各州に1人ずつ割り振られている。

③ 11月の大統領選（本選）の投票日は、超大国のトップを決める日となるため「スーパーチューズデー」と呼ばれる。

④ 有権者の投票行動が変わりやすく、民主、共和両党が激しく競り合う州は「スイング・ステート」（揺れる州）と呼ばれる。

問2 米国の統治機構に関する次のA〜Cについて、正しい説明の過不足ない組み合わせを①〜④から一つ選びなさい。

A：連邦議会の上院議員は、州の人口にかかわらず各州から2人選出される。
B：これまでに弾劾によって罷免された大統領は、ニクソン氏だけだ。
C：連邦最高裁判所の判事は終身制で、欠員が生じた際は大統領が後任を指名する。

① AとB　　　② AとC　　　③ BとC　　　④ AとBとC（全て正しい）

問3 米国の社会や人権を巡る状況に関連して、誤っている説明を①〜④から一つ選びなさい。

① 全米の人口に占める割合は、ヒスパニックのほうが黒人よりも高い。

② 民族などの大量虐殺を国際法上の犯罪と位置づける「ジェノサイド条約」を批准している。

③ 連邦最高裁判所は女性の人工妊娠中絶について、州による禁止や制限を容認した。

④ バイデン政権は同性婚の権利を保障する連邦法案の成立を目指したが、共和党の反対で断念した。

問4 アフガニスタン（アフガン）では、20年にわたり駐留していた米軍が2021年に撤収し、イスラム主義組織タリバンが実権を握りました。これらに関連して、正しい説明を①〜④から一つ選びなさい。

① 米同時多発テロを首謀したビンラディン容疑者は、米国によるアフガン侵攻（1979〜89年）を機に激しい反米感情を抱き、国際テロ組織アルカイダを創設したとされる。

② 同時多発テロを受けた米国は、「大量破壊兵器を保有している」との理由からアフガンを攻撃し、当時のタリバン政権（1996〜2001年）は崩壊した。

③ 旧タリバン政権は、極端なイスラム教の解釈に基づいて女子教育や娯楽を禁じた。現在のタリバン暫定政権も、女性の教育を制限している。

④ 米軍撤収後にタリバンが樹立した暫定政権について、米国と対立する中国、ロシア、イランなどは発足早々に承認を発表した。

車に乗って街を巡回するタリバン戦闘員たち
＝アフガン中部バーミヤンで2022年6月

27 鈍る中国 台頭する国々

正解 127、128ページ

（☞公式テキスト116〜119ページ）

問1 中国の統治機構について、正しい説明を①〜④から一つ選びなさい。

① 中国で公的に存在が認められている政党は、中国共産党だけだ。

② 中国共産党は現在、トップの「党主席」に権力を集中させる体制を敷いている。

③ 立法機関である「全国人民代表大会」（全人代）の全体会議は、5年に1度開かれる。

④ 習近平指導部の下で憲法が改正され、国家主席の任期の上限が撤廃された。

問2 中国の政策に関連する次のA〜Cについて、正誤の正しい組み合わせを①〜④から一つ選びなさい。

A	一帯一路	中国と欧州をつなぐ巨大経済圏構想。中国はユーラシアでの親中国圏形成を目指し、沿線の新興国への支援に力を入れている
B	共同富裕	中国共産党幹部の私有財産を党が管理する政策。党内の汚職撲滅のために習近平指導部が掲げた
C	一つの中国	中国による台湾政策の原則で、「台湾は中国の不可分の領土」とする考え方

① A－正　　B－正　　C－正　　　　② A－正　　B－誤　　C－正

③ A－誤　　B－正　　C－誤　　　　④ A－誤　　B－誤　　C－誤

問3 台湾と香港に関連して、誤っている説明を①〜④から一つ選びなさい。

① 中国は台湾統一について、「決して武力行使を放棄しない」と表明している。

② 米国の歴代政権は想定される台湾有事で、軍事介入の方針を明確にしない「あいまい戦略」を取っているとされる。

③ 台湾総統選挙（2024年1月）で当選した頼清徳氏は、対中融和路線を掲げる「国民党」出身だ。

④ 中国は香港返還の際、向こう50年間は「1国2制度」を維持すると約束した。

問4 南シナ海を巡る情勢に関連して、正しい説明を①〜④から一つ選びなさい。

① 中国は地図上で南シナ海のほぼ全域を囲う線を引き、その内側に中国の権益が及ぶと主張している。

② 南シナ海での中国の領有権の主張について、国連安全保障理事会は「根拠がない」と決議した。

③ 中国は南シナ海に防空識別圏を設定している。さらに、東シナ海への設定も検討している。

④ 台湾は、南シナ海の領有権を主張していない。

問5 米国と中国の対立に関連する次のA〜Cについて、正誤の正しい組み合わせを①〜④から一つ選びなさい。

A：米国は中国の脅威に対抗するため、米日豪印による「クアッド」や、米英豪による「ＡＵＫＵＳ」の枠組みで、同盟国や友好国との連携を進めている。

B：米国のバイデン政権は「国家安全保障戦略」で、中国を「唯一の競争相手」と位置づけている。

C：米国は、中国の新疆ウイグル自治区の人権問題を巡り、新疆ウイグル自治区が関与する産品の輸入を原則禁止している。

① A－正　　B－正　　C－正　　　　② A－正　　B－正　　C－誤

③ A－誤　　B－正　　C－誤　　　　④ A－誤　　B－誤　　C－正

■ その他のテーマ

正解 128ページ

問1 新興国・途上国に関する次のA〜Cについて、正誤の正しい組み合わせを①〜④から一つ選びなさい。

A：「グローバルサウス」は、国連総会において投票行動を統一することで影響力を高めている。
B：BRICS（ブリックス）は、中東・アフリカ地域から新たな国が参加し、計10カ国となった（2024年1月）。
C：インドは伝統的に非同盟、全方位外交を志向し、米国ともロシアとも友好関係を維持している。

① A－正　　B－正　　C－誤　　　　② A－正　　B－誤　　C－誤

③ A－誤　　B－正　　C－正　　　　④ A－誤　　B－誤　　C－正

問2 欧州連合（EU）に関連して、正しい説明を①〜④から一つ選びなさい。

① EUの基本条約であるリスボン条約に基づいて、EU大統領が置かれている。

② 全ての加盟国がシェンゲン協定に加盟しており、域内に一度入れば国境審査は一切ない。

③ 英国のEU離脱後、EUと英国の間の貿易には関税がかかるようになった。

④ ウクライナはEU加盟を目指しているが、加盟候補国として認定されていない。

問3 次のA〜Cは、東南アジア諸国連合（ASEAN）に加盟する国々の近況に関連する説明です。それぞれどの国に当てはまりますか。正しい組み合わせを①〜④から一つ選びなさい。

A：国軍のクーデターにより、事実上の国のトップである「国家顧問」だった人物が拘束された。
B：独裁政権を敷いた元大統領の息子が現在、大統領を務め、米国との同盟関係を強化している。
C：1人当たりの名目国内総生産（GDP）が加盟国の中で最も大きい。

① A－ミャンマー　　B－フィリピン　　C－インドネシア

② A－ミャンマー　　B－フィリピン　　C－シンガポール

③ A－フィリピン　　B－ミャンマー　　C－インドネシア

④ A－フィリピン　　B－ミャンマー　　C－シンガポール

問4 次のA〜Dは、冷戦時代の米国とソ連の核軍拡・核軍縮に関連するできごとです。これらを古い順に並べた時、正しい順番を①〜④から一つ選びなさい。

A：米国による世界初の水爆実験の成功
B：中距離核戦力（INF）全廃条約の署名
C：キューバ危機の発生
D：核拡散防止条約（NPT）の発効

① A→C→B→D　　　　② A→C→D→B

③ C→A→B→D　　　　④ C→A→D→B

問5 ノーベル平和賞を受賞した人や団体について、正しい説明を①〜④から一つ選びなさい。

① 南アフリカのマンデラ氏が大統領在任中に決断した結果、アパルトヘイト（人種隔離）政策が廃止された。

② バングラデシュの「グラミン銀行」は、貧困層に無担保で少額を融資する「マイクロファイナンス」（小口金融）の代表例だ。

③ 米国のオバマ氏は大統領退任後、地球温暖化防止を訴え、国連の「気候変動に関する政府間パネル」（IPCC）とともに受賞した。

④ マララ・ユスフザイ氏は、イランで長年、女性の権利擁護などを訴えてきた人権活動家だ。

準2級
2級
1級
政治
経済
暮らし
社会・環境
国際
正解

1 足元揺らぐ地方議会

正解 129ページ

★大学生のユキさんは、2023年4月の統一地方選挙（統一選）に関する記事（次の囲み）を読んで、ゼミで A〜Dさんと議論しています。記事と議論を読んで、問1、2に答えなさい。

地方議会の「担い手不足」深刻

　地方議会の担い手不足が深刻化している。2023年4月の統一選では、9道府県知事選挙▽230市区町村長選挙▽41道府県議会議員選挙▽705市区町村議会議員選挙——が実施された。このうち、議会議員選挙の無投票率（総定数に占める無投票当選者の割合）は、高い順から、町村議選30.3%▽道府県議選25.0%▽市議選（政令指定都市を除く）3.6%——に上った。「無投票」の地方議会の増加は、地方自治への信頼を低下させかねない。早急な対策が求められている。

ユキ：地方選挙で無投票当選が多い状態をどうしたら改善できるでしょうか。考えられる要因と対策について、地方自治体の種類別の傾向を資料から読み取り、意見を聞かせてください。

A ：主な要因は、地方議会の同質性の高さでは？　(ア)特に統一選での無投票率が比較的高い町村議会は、議員の約8割が60歳以上です。都道府県議会は最も年齢比率が分散していますが、それでも40歳未満は1割以下にとどまります。思い切って被選挙権の下限年齢や供託金（立候補時に納め、一定の得票数に達しない場合は没収される金銭）の額を引き下げて、若者が挑戦しやすい条件を整えるべきだと思います。

B ：多様性という観点からは、女性の少なさが課題です。(イ)地方議会における女性議員の割合は全体として増加傾向にあるものの、立候補する女性は依然少ないのが現実です。特に無投票率の高い都道府県議会と町村議会における女性議員比率は最近でも1割程度です。婚姻届を提出した夫婦のうち9割は女性が改姓するという現状を踏まえると、例えば、地方議会における通称・旧姓使用をさらに進めることが、女性の参画を促す一つの手段になると思います。

C ：働く環境や条件を整えることで地方議員という仕事の魅力を高める、というアプローチに賛成です。議員は高収入の印象がありますが、(ウ)都道府県や政令指定都市と、人口1万人未満の自治体では、議員報酬の平均月額に約60万〜65万円の差があります。町村議会の無投票率の高さを踏まえると、小規模な自治体の議員報酬を引き上げる必要があります。さらに、多様な立場の人が関心を持つためには、議会の夜間・休日開催も効果的ではないでしょうか。平日の日中に働く人が兼業で議員になれる余地が広がり、議会傍聴も可能になります。

D ：(エ)そもそも統一選の結果を見ると、地方議会議員選挙の全体で無投票率が上がっているわけではありませんね。無投票率の高さは有権者の関心の低さと相関があります。統一選は有権者の関心を高めるなどの目的で各地の選挙を一斉に行うものですが、2023年の統一率は27.5%でした。統一選前に任期満了を迎える場合はその任期を延長するなど、制度を抜本的に改革して、統一率を高めることも検討されるべきだと思います。

問1 次の資料Ⅰ～Ⅳは、A～Dさんの発言の下線部（ア）～（エ）のいずれかの根拠となるものです。（ア）～（エ）のうち、<u>資料Ⅰ～Ⅳだけでは根拠が不十分な発言</u>はどれですか。過不足ないものを①～④から一つ選びなさい。

＜資料Ⅰ＞地方議会議員の年齢別比率

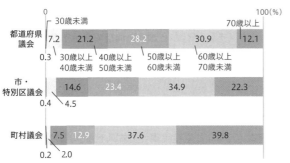

＜資料Ⅱ＞地方議会の女性議員比率の推移

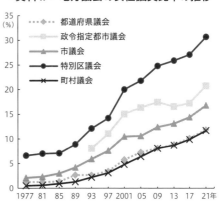

＜資料Ⅲ＞統一選における地方議会議員選挙の無投票率の推移

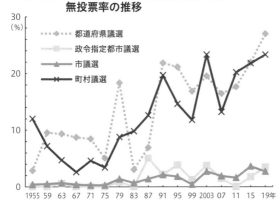

＜資料Ⅳ＞地方議会議員の報酬（平均月額）

人口規模など	平均議員報酬（円）
1000人未満	15万8087
1000～1万人未満	19万7554
1万～3万人未満	25万1239
3万～10万人未満	35万8747
10万人～（都道府県、政令指定都市以外）	51万4657
政令指定都市	79万2375
都道府県	81万4417

※資料Ⅰは都道府県議会制度研究会報告書（2019年7月時点）、市議会議員の属性に関する調、町村議会実態調査（いずれも2022年7月時点）▽資料Ⅱは2022年版男女共同参画白書▽資料Ⅲ、Ⅳは地方議会・議員のあり方に関する研究会報告書（2020年9月）──を基に作成

①　アとイ　　　　②　アとウ　　　　③　イとエ　　　　④　エのみ

問2 ユキさんは、A～Dさんが挙げた対策案を、選挙制度▽議員の働く環境▽議会への住民参加（選挙を除く）──のいずれかに関連するものとして分類しました。分類の正しい組み合わせを、①～④から一つ選びなさい。

	選挙制度	議員の働く環境	議会への住民参加
①	A、C	B	D
②	A、D	B、C	C
③	C	D	A、B
④	D	A、C	B、C

2 日本経済の「実力」とは？

正解 129ページ

★次の文章を読んで、問1～3に答えなさい。

　(ア)先進国経済、とりわけ日本を巡る環境変化のうち最初に指摘しなければならないのは、急速に進む少子高齢化であろう。日本は、今後中長期にわたって続くと予想される急速な少子高齢化の環境下で、いかに持続的な経済成長を実現していくかという難しい課題に直面している。

　一般に、その国の経済成長は国内総生産（GDP）の成長率で捉えられる。GDP成長率は普通、個人消費や企業による設備投資など「需要（支出）側」から測った伸び率を示すが、「供給（生産）側」からも経済成長を捉えることができる。代表的なのは、その国の経済の供給力を▽「労働投入」の寄与▽「資本投入」の寄与▽「全要素生産性（TFP＝Total Factor Productivity)」の寄与──の三つから測る手法（生産関数アプローチ）だ。

　・労働投入……就業者数と労働時間から算出
　・資本投入……企業や政府が保有する資本（工場など生産設備＝資本ストック）の量
　・全要素生産性……労働投入や資本投入（技術革新）が生み出す生産効率

　これら三つの要素をその国が最大限活用した場合、中長期的に達成が見込まれるGDP成長率の目安を【　　】という。消費動向や海外経済などの動きに左右される短期的な好況・不況の波は直接反映されないため、その国の「経済の実力を示す」とも言われる。したがって、日本で(イ)持続可能な経済成長を実現するには【　　】を引き上げることが重要だ。

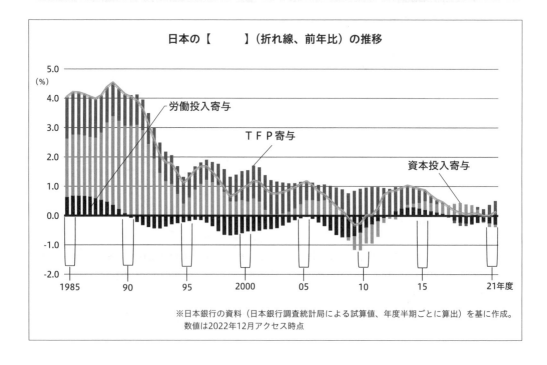

日本の【　　】（折れ線、前年比）の推移

※日本銀行の資料（日本銀行調査統計局による試算値、年度半期ごとに算出）を基に作成。
数値は2022年12月アクセス時点

問1 下線部（ア）に関連して、1990年代以降の経済危機・経済不安などについて、正しい説明を①〜④から一つ選びなさい。

① 日本のバブル経済崩壊（1991年）は、日本銀行による公定歩合の引き下げが一因となった。

② アジア通貨危機（1997年）は、中国の人民元が欧米の機関投資家によって一斉に売られたのをきっかけに暴落したことが引き金となった。

③ リーマン・ショック（世界金融危機）は、米国の高所得者向け低金利住宅ローン「ＦＦレート」が焦げつき、米金融大手リーマン・ブラザーズが破綻したこと（2008年）が引き金となった。

④ 欧州債務危機は、ギリシャの財政赤字改ざんが発覚（2009年）し、ギリシャ国債が暴落したことが引き金となった。

問2 ［Ⅰ］文章中の【　　】に当てはまる言葉、［Ⅱ］近年の日本の【　　】が1980年代と比べて低迷している理由の例——として適切なものの組み合わせを、①〜④から一つ選びなさい。

［Ⅰ］【　　】に当てはまる言葉

O：ＧＤＰデフレーター

P：潜在成長率

［Ⅱ］【　　】が低迷している理由の例

Q：生産年齢人口の減少や、企業の生産設備の海外移転が加速して国内投資が抑制されたことなどが影響し、「労働投入」と「資本投入」が縮小傾向にあるため。

R：長年続いたデフレーションからの脱却を目指して、政府による積極的な財政出動や、日本銀行による大規模な金融緩和（異次元緩和）が実施されてきたため。

S：ＩＴ化が急速に進んだことが影響し、ＴＦＰが一貫して下がっているため。

① Ⅰ－O　　Ⅱ－Q　　　　② Ⅰ－O　　Ⅱ－R

③ Ⅰ－P　　Ⅱ－Q　　　　④ Ⅰ－P　　Ⅱ－S

問3 下線部（イ）に関連して、国連の「持続可能な開発目標（ＳＤＧｓ）」の理念に当てはまる考え方を、①〜④から一つ選びなさい。

① 途上国における「絶対的貧困」の撲滅を目指す一方、先進国の「相対的貧困」の問題は対象外だ。

② 妊娠や出産などに配慮した雇用環境を整えることは、ジェンダー平等の達成に資する。

③ 経済成長と環境保護の両立は困難なので、経済成長率の目標を掲げるべきではない。

④ ＳＤＧｓは各国が自国の事情に応じて取り組むものであるため、他国への支援はすべきでない。

3 死刑制度は是か非か

正解 129ページ

★死刑制度を巡って、A～Eの学生5人が議論しています。これを読んで、問1、2に答えなさい。

　学生A：死刑制度の廃止は世界の潮流です。経済協力開発機構（OECD）に加盟する38カ国の
　　　　うち、死刑制度を残すのは米国、韓国、日本の3カ国だけで、韓国は1997年の執行を
　　　　最後に、停止しています。米国のバイデン大統領も死刑制度廃止を掲げており、既に約
　　　　半数の州が廃止しています。日本もやめるべきだと思います。

　　　B：でも、死刑を頂点とした日本の刑罰のあり方が、犯罪を抑止する役目を果たしていると
　　　　いう考え方もあります。【　X　】。

　　　A：抑止効果を科学的に証明するのは困難です。科学的根拠がない以上、死刑制度を維持す
　　　　る理由としては弱いです。

　　　C：ちょっと待って。結論を急ぎすぎでは？　いま問題なのは、日本で死刑がどのように運
　　　　用されているか、その実態についての情報があまりに乏しいことです。国が情報を開示
　　　　し、死刑の存廃について、国民の議論を喚起するのが先です。

　　　D：しかし現に死刑制度は存在します。【　Y　】。無実の人を死刑にしてしまうリスクがあ
　　　　ると思うと、悠長なことは言っていられません。

　　　E：それは誤った判決が出ないように関係機関が努力すべきことです。死刑制度自体に問題
　　　　はありません。

　　　A：どんな凶悪な犯人にも、更生の道は残っています。仮釈放のない「終身刑」を導入し、生
　　　　涯を通じて罪を償わせるべきではないでしょうか。

　　　B：いえ、更生したとしても罪は消えません。何人殺しても犯人は生き残れるとすれば、納
　　　　得できない遺族もいると思います。自分の命で罪を償うべきです。

　【　Ⅰ　】：私はAさんに賛成です。世界人権宣言は「何人も残虐で非人道的な刑罰を受けることは
　　　　ない」と明記しています。死刑はそれに当たるのではないですか。

　【　Ⅱ　】：【　Z　】。死刑は「合憲」とされています。ただし、日本と同じような価値観を共有し、
　　　　基本的人権を尊重する民主主義の国々が、廃止を選んでいることは軽視できません。刑
　　　　罰とはどうあるべきか、考えを深めることが必要です。

問1　発言者【　Ⅰ　】【　Ⅱ　】は、学生5人のうち誰ですか。最も適切な組み合わせを、①～④から一つ
　　選びなさい。死刑制度について5人の意見は「賛成」「反対」「態度保留」の三つに分かれ、途中で意見
　　を変えた学生はいなかったとします。

①　Ⅰ－C　　　　　Ⅱ－A

②　Ⅰ－D　　　　　Ⅱ－C

③　Ⅰ－D　　　　　Ⅱ－E

④　Ⅰ－E　　　　　Ⅱ－B

問2 会話文中の【 X 】〜【 Z 】は、死刑制度に関する資料Ⅰ〜Ⅴのいずれかを根拠にした発言です。当てはまる発言と根拠となる資料の正しい組み合わせを、①〜④から一つ選びなさい。

＜資料Ⅰ＞全国の刑法犯の認知件数の推移

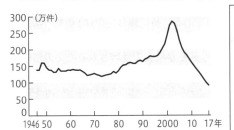

※警察庁の統計を基に作成

＜資料Ⅱ＞最高裁判所判例（1948年、要旨）

　日本国憲法31条によれば、国民個人の生命の尊貴といえども、法律の定める適理の手続きによって、これを奪う刑罰を科せられることが、明らかに定められている。すなわち憲法は、現代多数の文化国家におけると同様に、刑罰として死刑の存置を想定し、是認したものと解すべきである。死刑はまさに究極の刑罰であり、また冷厳な刑罰ではあるが、刑罰としての死刑そのものが、一般に直ちに（公務員による拷問及び残虐な刑罰は、絶対に禁ずる、とした）憲法36条の残虐な刑罰に該当するとは考えられない。

＜資料Ⅲ＞死刑・無期懲役の確定後に再審無罪になった主な事件

事件名（発生年）	発生場所	確定判決（確定年）	再審開始決定年	再審での検察側主張	再審無罪確定年
免田事件(1948年)	熊本県	死刑(1952年)	1979年	有罪	1983年
財田川事件(50年)	香川県	死刑(57年)	79年	有罪	84年
松山事件(55年)	宮城県	死刑(60年)	79年	有罪	84年
梅田事件(50年)	北海道	無期懲役(57年)	82年	有罪	86年
島田事件(54年)	静岡県	死刑(60年)	86年	有罪	89年
足利事件(90年)	栃木県	無期懲役(2000年)	2009年	無罪	2010年
布川事件(67年)	茨城県	無期懲役(1978年)	05年	有罪	11年
東電女性社員殺害事件（97年)	東京都	無期懲役(2003年)	12年	無罪	12年

※日本弁護士連合会調べ

＜資料Ⅳ＞最高裁判所判例（1983年、要旨）

　死刑制度を存置する現行法制の下では、犯行の罪質、動機、態様ことに殺害の手段方法の執拗性・残虐性、結果の重大性ことに殺害された被害者の数、遺族の被害感情、社会的影響、犯人の年齢、前科、犯行後の情状等各般の情状を併せ考察したとき、その罪責が誠に重大であって、罪刑の均衡の見地からも一般予防の見地からも極刑がやむをえないと認められる場合には、死刑の選択も許されるものといわなければならない。

＜資料Ⅴ＞世論調査「死刑がなくなると凶悪犯罪は？」という質問への回答結果

※内閣府の世論調査を基に作成

ア：刑法犯の認知件数は、死刑による抑止効果で2000年ごろから減っています————資料Ⅰ
イ：死刑が「残虐な刑罰」か否かについて、既に最高裁判所の判例があります————資料Ⅱ
ウ：冤罪で死刑が確定する可能性はゼロではありません————資料Ⅲ
エ：死刑は残虐であり、どんな場合であっても許されません————資料Ⅳ
オ：死刑がなくなると凶悪犯罪が増える、と世論調査で過半数の人が答えています————資料Ⅴ

① X－ア　　Y－ウ　　Z－エ　　　　　② X－オ　　Y－エ　　Z－イ
③ X－ア　　Y－エ　　Z－イ　　　　　④ X－オ　　Y－ウ　　Z－イ

4 人間とAIの「判断」を巡って

正解 129ページ

問1 次の文章と資料（ケース1、2）に関する学生A〜Dの会話を読んで、4人の会話の分析として正しいものを①〜④から一つ選びなさい。

　自動運転車の開発は、人為ミスによる交通事故や渋滞の解消につながると期待されている。関連する技術は、多様な社会課題を解決する切り札とも言われる。

　自動運転には、科学技術だけでは解決できない課題もある。特に難しいのは「認知・判断・操作」のうち、人工知能（AI）が担う「判断」だ。事故の法的責任や、倫理的な課題も関係する。「トロッコ問題*」と呼ばれる倫理学の思考実験にならって、自動運転が社会で受容されるための法的、倫理的課題を探る試みもある。

＊トロッコ問題……「暴走するトロッコ（貨車）が迫ってきた。あなたが線路のポイントを切り替えれば5人の命を救えるが、別の1人が犠牲になる。どうするか？」というジレンマ状況を想定する。ケース1、2は自動運転車への応用例。

ケース1

　自動運転車が走行中、横断歩道のない場所で、右手から自転車3台が車道に飛び出してきた。事故を避けるため、車は交通ルールに反して左手の歩道に突っ込み、自転車の3人は助かった。だが、歩道の歩行者1人を死なせてしまった。この時、車のルール違反は許されるか？

ケース2

　ケース1とは異なり「自転車は1台」「歩道に歩行者はいなかったため、誰も犠牲にならなかった」。この時、車のルール違反は許されるか？

　学生A：ケース1、2について、「最大多数の最大幸福」を目指す立場（功利主義）から考えました。車の行為がもたらす幸福と不幸の量を比較すると、どちらも「許される」と思います。

　　　B：私は、行為の結果から判断するのではなく、「人としての義務」を重視する思想（義務論）にならって考えました。交通ルールは絶対に守るべき義務だし、誰かを幸せにするために人を「手段」として扱うことは許されません。したがって、ケース1、2とも許されないと思います。

　　　C：私は功利主義に共感しますが、ケース2が歩行者を巻き込まなかったのは偶然にすぎません。歩道で最優先されるべき「歩行者の安全」を脅かしたデメリットは、自転車に乗る人の命を救ったメリットを上回り、ケース2は許されません。

　　　D：人間の運転でもケース1や2に出合う可能性はあります。それなのに、特に自動運転について思考実験をする意義はどこにあるのでしょう？　人間は刻々と変わる事態に応じて判断しますが、自動運転車の行動はあらかじめプログラムされます。見た目は同じ行動でも、この違いが法律や倫理の課題を生むようですよ。議論を進めて、この点を考えませんか。

① AさんとBさんはともに「よい行為とは、よい結果をもたらす行為だ」という立場だ。

② AさんとCさんは「運転についての違法行為がもたらす利益侵害の程度は、死傷者の数だけを基に評価すべきだ」という考え方で一致している。

③ Dさんは、ほかの3人の議論を踏まえて、人間の運転とは異なる「自動運転ならではの課題」の考察に進もうと提案している。

④ 自動運転システムの設計段階で、人命を侵害するような行動をプログラムすることは許されない、と主張した学生がいる。

1級

●本番の１級検定問題（全45問）は四肢択一の
マークシート式40問と記述式５問で構成され
ます。

●「2024年度版ニュース検定公式テキスト『時
事力』発展編（１・２・準２級対応）」を参考に
してください。

※「60字以内」で解答する記述式問題について

・１行目の冒頭を１マスあける必要はありませ
ん。

・数字を書く場合、２桁の数字は１字分、３桁
や４桁の数字は２字分として扱います。例
えば、10は１字分、100や1000は２字分
です。また、小数点以下１桁の数字（例えば
1.5)は１字分、２桁の数字（例えば1.55)は２
字分として扱います。

・40字以上で説明するよう努めましょう。

問1 国会や地方議会などの議員選挙で、候補者や議席の一定数を女性に割り当てることを、性別に基づく「【　　】制」といいます。【　　】に当てはまる言葉をカタカナ4文字で記しなさい。

（　　　　　　　　　　　　　）

問2 衆議院議員選挙には2024年以降の総選挙から、「アダムズ方式」が導入されます。人口比をこれまでより正確に反映し、【　　】を是正する狙いがあります。【　　】に当てはまる言葉を、数字を含む5文字で記しなさい。

（　　　　　　　　　　　　　）

問3 選挙で、投票日当日に仕事などの理由で投票に行けない人は、【　　】投票の制度を利用できます。公示・告示日の翌日から投票日前日までの期間、選挙人名簿登録地の市区町村で投票できる仕組みです。【　　】に当てはまる言葉を漢字3文字で記しなさい。

（　　　　　　　　　　　　　）

問4 行政手続きのデジタル化を進める政府は、現行の健康保険証を2024年12月に廃止し、【　　】カードと一体化すると決めました。【　　】に当てはまる言葉をカタカナ6文字で記しなさい。

（　　　　　　　　　　　　　）

問5 日本国憲法改正を巡る議論のテーマの一つに、大規模自然災害や有事の際の対応を規定する「【　　】条項」の創設があります。【　　】に当てはまる言葉を漢字4文字で記しなさい。

（　　　　　　　　　　　　　）

問6 日本国憲法は、天皇は政治に関する権限を持たず、「内閣の助言と承認」に基づき【　　】のみを行う、と定めています。【　　】に当てはまる言葉を漢字4文字で記しなさい。

（　　　　　　　　　　　　　）

問7 日本は安全保障政策で、米国による【　　】を重視しています。これは、「自国への攻撃を他国に思いとどまらせる能力」を自国だけでなく同盟国にも広げる考え方のことです。【　　】に当てはまる言葉を漢字4文字で記しなさい。

（　　　　　　　　　　　　　）

問8 日韓関係は、韓国の尹錫悦（ユンソンニョル）政権が【　　】問題の解決策を示した（2023年）ことで改善が進みました。【　　】とは第二次世界大戦中、日本の植民地だった朝鮮半島から日本へ渡り、軍需工場などで働いた人のことです。【　　】に当てはまる言葉を漢字3文字で記しなさい。

（　　　　　　　　　　　　　）

問9 日本は「【　　】防衛」を防衛政策の基本方針としています。相手から武力攻撃を受けた時に初めて必要最低限度の防衛力を行使する、との考え方です。【　　】に当てはまる言葉を漢字2文字で記しなさい。

（　　　　　　　　　　　　　）

問10 在日米軍人らの日本での法的地位は、【　　】で定められています。「幅広い特権が米国側に認められている」として改定を求める声がありますが、改定されたことはありません。【　　】に当てはまる言葉を漢字6文字で記しなさい。

（　　　　　　　　　　　　　）

問11 特定の地方自治体に愛着を持って継続的に関わり続ける人々を「【　　】人口」といいます。観光など一過性の関わりによる「交流人口」や、移住した「定住人口」とは区別されます。【　　】に当てはまる言葉を漢字2文字で記しなさい。

（　　　　　　　　　　　　　）

問12 地方自治体の歳入項目の一つである【　　】は、自治体間の税収格差を埋めるために国が渡すもので、使途は自治体が自由に決められます。【　　】に当てはまる言葉を漢字5文字で記しなさい。

（　　　　　　　　　　　　　）

問13 「政治分野における男女共同参画推進法」（2018年施行）の内容について、「均等」「罰則規定」という言葉を必ず使って60字以内で説明しなさい。

問14 参議院議員選挙で導入されている「特定枠」について、「非拘束名簿式」「候補者名簿」という言葉を必ず使って60字以内で説明しなさい。

問15 政党と比べた場合の圧力団体の「目的」について、「政権の獲得」「自らの利益」という言葉を必ず使って60字以内で説明しなさい。目的を実現するための「手段」の具体例も挙げること。

問16 日本国憲法の改正手続きにおける「発議」の意味と発議の要件を、「国会」「総議員」という言葉を必ず使って60字以内で説明しなさい。

問17 日本国憲法9条と自衛隊の関係について、政府はどのような公式見解を示していますか。「必要最小限度」「9条」「戦力」という言葉を必ず使って60字以内で記しなさい。

問18 日本とソ連（当時）が1956年に交わした「日ソ共同宣言」の主な内容について、「両国」「国交」「歯舞群島と色丹島」という言葉を必ず使って60字以内で説明しなさい。

問19 相手国のミサイル発射拠点などをたたく「反撃能力」（敵基地攻撃能力）について、歴代内閣はどのような見解を示してきましたか。「自衛」「日本国憲法上」という言葉を必ず使って60字以内で記しなさい。

問20 地方自治における「二元代表制」とはどのような仕組みですか。「首長」「選挙」という言葉を必ず使って60字以内で説明しなさい。

準2級
2級
1級
政治

問1 日本銀行は2016年以降、金融緩和策として「【　　】・コントロール（ＹＣＣ、長短金利操作）」を実施してきました。【　　】に当てはまる言葉をカタカナ7文字で記しなさい。

（　　　　　　　　　　　　）

問2 景気が停滞する中で物価が上がり続けることを【　　】といいます。【　　】に当てはまる言葉をカタカナ9文字で記しなさい。

（　　　　　　　　　　　　）

問3 国の歳出（一般会計）のうち、自然災害や景気の急激な悪化など、年度途中に予期せぬ事態が生じて予算が不足した際、内閣の責任において支出できる経費を【　　】といいます。【　　】に当てはまる言葉を漢字3文字で記しなさい。

（　　　　　　　　　　　　）

問4 消費税の額や税率を、事業者間で正確に把握できるようにするための「【　　】（適格請求書）制度」が、2023年10月から始まりました。【　　】に当てはまる言葉をカタカナ5文字で記しなさい。

（　　　　　　　　　　　　）

問5 近年、中国など特定の国への過度な経済的依存度を下げることを目指す【　　】という考え方が広まっています。【　　】に当てはまる言葉をカタカナ6文字で記しなさい。

（　　　　　　　　　　　　）

問6 米国の中央銀行である連邦準備制度理事会（ＦＲＢ）は、年8回開く「連邦公開市場委員会（【　　】）」で金融政策を決めます。【　　】に当てはまる英略語をアルファベット4文字で記しなさい。

（　　　　　　　　　　　　）

問7 米欧の中央銀行は2022年以降、行き過ぎたインフレーションを抑えるため、利上げを実施してきました。利上げとは、「【　　】金利」を引き上げることです。【　　】に当てはまる言葉を漢字2文字で記しなさい。

（　　　　　　　　　　　　）

問8 地域に根付いた農林水産物や食品の名前などを、知的財産として登録・保護する制度を「【　　】（ＧＩ）保護制度」といいます。【　　】に当てはまる言葉を漢字5文字で記しなさい。

（　　　　　　　　　　　　）

問9 公共交通機関の混雑など、観光地に旅行客が過度に集中することによって起こる「【　　】（観光公害）」の問題が全国各地で生じています。【　　】に当てはまる言葉をカタカナ9文字で記しなさい。

（　　　　　　　　　　　　）

問10 電気自動車（ＥＶ）や燃料電池車（ＦＣＶ）など、走行中に二酸化炭素（CO_2）を出さない車は「ゼロ【　　】車」とも呼ばれます。【　　】に当てはまる言葉をカタカナ6文字で記しなさい。

（　　　　　　　　　　　　）

問11 脱炭素社会の実現に向けた経済社会システムの変革や活動を、「グリーントランスフォーメーション」といい、政府はこれを略して【　　】と呼んでいます。【　　】に当てはまる言葉をアルファベット2文字で記しなさい。

（　　　　　　　　　　　　）

問12 政府は、「【　　】風力」を再生可能エネルギーの主力電源化に向けた切り札に位置づけています。【　　】に当てはまる言葉を漢字2文字で記しなさい。

（　　　　　　　　　　　　）

問13 「コストプッシュ・インフレ」について、具体例を示しつつ、「供給側」「改善」という言葉を必ず使って60字以内で説明しなさい。「良いインフレ」「悪いインフレ」のどちらであるかにも言及すること。

問14 消費税のメリットとデメリットについて、「景気の変動」「税収」「逆進性」という言葉を必ず使って60字以内で説明しなさい。

問15 国債の「市中消化の原則」とはどのような原則ですか。その理由にも言及しつつ、「日本銀行」「政府」「インフレ」という言葉を必ず使って60字以内で説明しなさい。

問16 「インド太平洋経済枠組み（ＩＰＥＦ）」について、「中国」「米国」「関税」という言葉を必ず使って60字以内で説明しなさい。一般的な自由貿易圏との違いにも言及すること。

問17 経済安全保障推進法（2022年8月以降、順次施行）の内容について、「安全保障」「企業活動」という言葉を必ず使って60字以内で説明しなさい。法律の4本柱のいずれかにも言及すること。

問18 「人権デューデリジェンス」とはどのような取り組みですか。「供給網」「企業」「欧米」という言葉を必ず使って60字以内で説明しなさい。

問19 「優越的地位の乱用」について、「立場」「取引先」「不公正」という言葉を必ず使って60字以内で説明しなさい。この行為について規定した法律名にも言及すること。

問20 「ベースロード電源」とはどのような電源ですか。「電力」「天候や時間帯」という言葉を必ず使って60字以内で説明しなさい。ベースロード電源の例を一つ以上示すこと。

問1　少子高齢化が進む日本は「人口【　　】」の状態にあると言われます。人口【　　】とは、総人口に占める生産年齢人口の割合が下がり、経済成長にマイナスの作用をもたらす状態のことで、対義語は「人口ボーナス」です。【　　】に当てはまる言葉をカタカナ4文字で記しなさい。

（　　　　　　　　　　　　　　　）

問2　一般に、第1次ベビーブーム（1947〜49年）に生まれた人たちは「【　　】の世代」と呼ばれます。2025年には全員が75歳以上の後期高齢者になり、社会保障にかかる費用の急増が懸念されます。【　　】に当てはまる言葉を漢字2文字で記しなさい。

（　　　　　　　　　　　　　　　）

問3　生活保護は【　　】権を保障した日本国憲法25条に基づく制度です。【　　】権は「健康で文化的な最低限度の生活」を送る権利のことです。【　　】に当てはまる言葉を漢字2文字で記しなさい。

（　　　　　　　　　　　　　　　）

問4　終業から次の始業まで一定の休息時間を設ける仕組みを「勤務間【　　】」といいます。導入が企業の努力義務となっていますが、十分に広がってはいません。【　　】に当てはまる言葉をカタカナ6文字で記しなさい。

（　　　　　　　　　　　　　　　）

問5　口コミを装って商品を宣伝する「ステルスマーケティング（ステマ）」について、消費者庁は2023年、【　　】法が禁止する「不当表示」に当たるとして規制を始めました。【　　】に当てはまる言葉を漢字4文字で記しなさい。

（　　　　　　　　　　　　　　　）

問6　環境や人権などに配慮した商品を積極的に選ぶ消費スタイルを「【　　】消費」といいます。食品ロスを減らすために販売期限が近い食品を積極的に買うことは、その一例です。【　　】に当てはまる言葉をカタカナ4文字で記しなさい。

（　　　　　　　　　　　　　　　）

問7　一般に、国の人口は主にどのような要因で変化しますか。「出生数」「社会増減」という言葉を必ず使って60字以内で説明しなさい。

問8　公的年金制度における「マクロ経済スライド」について、「物価と賃金」「将来世代」という言葉を必ず使って60字以内で説明しなさい。

問9　「物流の2024年問題」について、「宅配」「上限規制」「輸送力」という言葉を必ず使って60字以内で説明しなさい。

問10　民法に基づく「未成年者取り消し権」について、「法定代理人」「同意」「契約」という言葉を必ず使って60字以内で説明しなさい。

問1 親が未成年の子の世話や財産の管理などに関わる権利を【 】といいます。日本では、離婚時に父母のどちらが【 】を持つかを巡って争いになるケースもあります。【 】に当てはまる言葉を漢字2文字で記しなさい。

( )

問2 一般に、本来大人が担うような家事や家族の世話を日常的に引き受けている子どもは【 】と呼ばれます。【 】に当てはまる言葉をカタカナ7文字で記しなさい。

( )

問3 民法などが夫婦同姓を定めているのに対して、同姓にするか別姓にするかをそれぞれの夫婦が選べるようにする制度を「【 】制度」といいます。【 】に当てはまる言葉を漢字7文字で記しなさい。

( )

問4 アイヌは、伝統的に所有・使用してきた土地や、魚や森などに対する「【 】権」を求めていますが、認められていません。【 】に当てはまる言葉を漢字2文字で記しなさい。

( )

問5 最高裁判所の裁判官（15人）が適任かどうかを国民が直接、投票によって審査する制度を【 】といいます。【 】に当てはまる言葉を漢字4文字で記しなさい。

( )

問6 インターネット広告のうち、年齢や性別などからネット利用者の興味や好みを分析し、それぞれに応じた広告を表示するものを「【 】広告」といいます。【 】に当てはまる言葉をカタカナ7文字で記しなさい。

( )

問7 社会に出回っている情報が事実かどうかを客観的に検証する活動を「【 】チェック」といいます。【 】に当てはまる言葉をカタカナ4文字で記しなさい。

( )

問8 認知症の原因の6～7割を占めるのが【 】病です。脳に有害なたんぱく質がたまることで、神経細胞の死滅などを引き起こすとされます。【 】に当てはまる言葉をカタカナ7文字で記しなさい。

( )

問9 性や生殖に関することを自ら自由に決定でき、そのための情報と手段を得られる権利を「【 】権」といいます。【 】に当てはまる言葉をカタカナ8文字で記しなさい。

( )

問10 積乱雲が次々と長い帯状に並び、同じ場所で数時間にわたり強い雨を降らせる現象を【 】といい、豪雨災害で甚大な被害をもたらす原因の一つになっています。【 】に当てはまる言葉を漢字5文字で記しなさい。

( )

問11 自然災害による直接死ではなく、避難生活による疲労やストレスといった間接的な原因によって災害から一定期間後に亡くなることを【 】といいます。【 】に当てはまる言葉を漢字5文字で記しなさい。

( )

問12 日本は2050年までに温室効果ガスの排出量を「実質ゼロ」にすることを目指しています。実質ゼロとは排出量を森林などの吸収分で差し引きゼロにすることで、「カーボン【 】」ともいいます。【 】に当てはまる言葉をカタカナ6文字で記しなさい。

( )

準2級

2級

1級

政治・経済

暮らし

社会・環境

国際

問13 こども家庭庁（2023年発足）について、「幼保一元化」「文部科学省」という言葉を必ず使って60字以内で説明しなさい。

問14 ＬＧＢＴ理解増進法（2023年成立）は国と地方自治体にどのようなことを求めていますか。「多様性」「差別」「罰則」という言葉を必ず使って60字以内で説明しなさい。

問15 性的な「グルーミング」について、「わいせつ目的」「改正刑法」という言葉を必ず使って60字以内で説明しなさい。

問16 日本の裁判所の違憲審査について、「具体的な紛争」「最高裁」という言葉を必ず使って60字以内で説明しなさい。日本国憲法は「憲法」と略して構いません。

問17 「忘れられる権利」について、「インターネット」「プライバシー権」という言葉を必ず使って60字以内で説明しなさい。

問18 新型出生前診断（ＮＩＰＴ）について、指摘される利点や懸念を含め、「染色体異常」「備え」「選別」という言葉を必ず使って60字以内で説明しなさい。

問19 東京電力福島第1原子力発電所で2023年に始まった「処理水」の海洋放出について、「汚染水」「放射性物質」「海水」という言葉を必ず使って60字以内で説明しなさい。

問20 生物多様性条約の第15回締約国会議（2022年開催）で採択された「30 by 30」とはどのような目標ですか。「陸地と海」「愛知目標」という言葉を必ず使って60字以内で説明しなさい。

問1 パレスチナ自治区とは、地中海に面したガザ地区と、川を挟んで隣国に面する【　　】川西岸地区から成る領域です。【　　】に当てはまる言葉をカタカナ4文字で記しなさい。

（　　　　　　　　　　　　）

問2 191カ国・地域が参加するこの条約は、核兵器の管理のための世界的な枠組みです。米英仏露中の5カ国に限定して核兵器保有を認める一方、参加国・地域に核軍縮交渉を義務づけています。この条約の英略語をアルファベット3文字で記しなさい。

（　　　　　　　　　　　　）

問3 米国や欧州諸国などから成るこの組織は、冷戦初期の1949年、西側陣営の軍事同盟として結成されました。冷戦終結後は東欧の国々も加わりました。この組織の英略語をアルファベット4文字で記しなさい。

（　　　　　　　　　　　　）

問4 人種や宗教などに基づく特定の集団を計画的に絶滅させようとする行為を【　　】といいます。ナチス・ドイツによるユダヤ人大量虐殺（ホロコースト）を非難する文脈で使われはじめました。【　　】に当てはまる言葉をカタカナ6文字で記しなさい。

（　　　　　　　　　　　　　）

問5 中国は、国家主権や領土、政治制度の安定などを守るために譲歩できない国益を「【　　】利益」と呼んでいます。【　　】に当てはまる言葉を漢字3文字で記しなさい。

（　　　　　　　　　　　　　）

問6 国際社会では近年、アジアやアフリカ、中東などの新興国・途上国の動きが注目されています。これらの国々は南半球に多いことから、「【　　】」と総称されます。【　　】に当てはまる言葉をカタカナ8文字で記しなさい。

（　　　　　　　　　　　　　）

問7 国連の「集団安全保障」体制について、「加盟国」「武力紛争」「違反国」という言葉を必ず使って60字以内で説明しなさい。

問8 国連安全保障理事会の決議について、「全加盟国」「拒否権」という言葉を必ず使って60字以内で説明しなさい。

問9 核兵器禁止条約（2021年発効）について、日本の立場も含め、「違法」「威嚇」「核の傘」という言葉を必ず使って60字以内で説明しなさい。

問10 米国の大統領選挙の仕組みについて、「州」「総取り」「総得票数」という言葉を必ず使って60字以内で説明しなさい。

1 どうする 社会保障の国民負担

正解 132ページ

★社会保障制度に関する学生らの議論（次の会話）を読んで、問1、2に答えなさい。

A：今日のゼミでは「国民負担率」を取り上げます。国民負担率は、国民の所得に占める税金や社会保険料などの割合です。(ア)次の資料（囲み）によると、2020年度の日本の国民負担率は47.9%でした。

日本の国民負担率（2020年度）

・国民負担率…47.9%（租税負担率…28.2%、社会保障負担率…19.8%）
・潜在的国民負担率…62.9%

◆国民負担率 ＝ $\underbrace{\dfrac{国税収入＋地方税収入}{国民所得} \times 100}_{租税負担率}$ ＋ $\underbrace{\dfrac{社会保険料など}{国民所得} \times 100}_{社会保障負担率}$

◆潜在的国民負担率 ＝ 国民負担率 ＋ $\dfrac{財政赤字}{国民所得} \times 100$

B：個人や企業の稼ぎの半分近くが、税金や社会保険料などにまわっているということですね。社会保障制度の維持は大切ですが、その費用負担が国民にとって重すぎるような気がします。

C：果たしてそうでしょうか。(イ)別の資料からは「経済協力開発機構（OECD）加盟国の中で、日本の国民負担率が著しく高いわけではない」ということが一目瞭然です。

D：私は「潜在的国民負担率」の高さが気がかりです。国の財政は近年、巨額の赤字国債を発行することが常態化しています。国民にかかる負担は今後、ますます重くなってしまいそうです。

C：現在の社会保障にかかる費用を借金で賄うということは、その分、将来世代にツケをまわすことを意味します。制度を持続可能なものにするためにも、現在の国民がより多くを負担するのはやむを得ないでしょう。他国と比べても、国民負担率を引き上げる余地はありそうですし。

E：ちょっと待ってください。潜在的国民負担率というのは、「現在の国民が負担する税金や社会保険料」と「将来の国民が負担する財政赤字」を足した数値です。時間軸が異なる二つのデータをまとめることに、どれほどの意味があるのか疑問です。

F：「国民負担率が高ければ悪く、低ければ良い」と考えるのは短絡的です。負担が重くても、それに見合った社会保障が提供されていれば、国民の納得は得られるのではないでしょうか。重要なのは「負担と給付のバランスがとれているかどうか」だと考えます。

G：私もFさんに同意します。例えば、各国の国民負担率を、【　　　】と組み合わせて分析することで、日本の「負担と給付のバランス」を他国と比較することができるのではないでしょうか。

問1 下線部（ア）（イ）の資料について、正しい説明の組み合わせを①〜④から一つ選びなさい。Ⅰ、Ⅱについては、言及されていない要素は変化しないと仮定します。

Ⅰ：下線部（ア）の資料によると、国民所得の増加は、国民負担率を下げる作用がある。

Ⅱ：下線部（ア）の資料によると、国から地方への税源移譲は、国民負担率を下げる作用がある。

Ⅲ：グラフX、Yのうち、下線部（イ）の資料としてより適切なのはグラフXだ。

Ⅳ：グラフX、Yのうち、下線部（イ）の資料としてより適切なのはグラフYだ。

グラフX

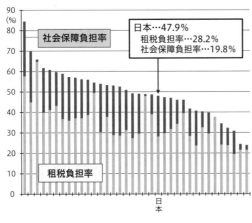

グラフY

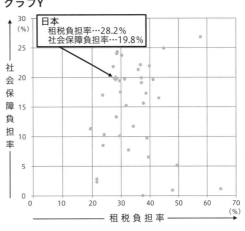

※グラフX、Yともに財務省の資料を基に作成。データは経済協力開発機構（OECD）に加盟する36カ国の国民負担率で、一部の国を除き2020年の数値。日本以外の国名と数値は省略した。OECD加盟国のうち、コロンビアとアイスランドは国民所得のデータを得られなかったため載せていない

① Ⅰ と Ⅲ　　　　② Ⅰ と Ⅳ　　　　③ Ⅱ と Ⅲ　　　　④ Ⅱ と Ⅳ

問2 会話文中の【　　　】に当てはまる言葉として、最も適切なものを①〜④から一つ選びなさい。

① 各国の「国内総生産（GDP）に占める一般政府歳出の割合」

② 各国の「GDPに占める社会支出の割合」

③ 各国の「従属人口指数*」

④ 日本国内における「ジニ係数」

＊従属人口指数……次の式で求められる数値で、社会保障制度の「支える側」と「支えられる側」の人口比を概観するのに用いられます。

従属人口指数＝（14歳以下人口＋65歳以上人口）÷15〜64歳人口×100

2 安全保障のフレームワーク

正解 132ページ

問1 次の文章は、「安全保障」という概念について論じたものです。この文章で示された枠組みを用いて、右ページの囲みにある「人間の安全保障」という概念を分析した時、分析のまとめとして最も適切なものを①～④から一つ選びなさい。

　　昨今、「経済安全保障」の重要性がしきりに説かれている。そもそも「安全保障」とは何か。

　　実は、安全保障という概念に確固とした定義はない。さまざまな場面で安全保障という語句が使われているが、その定義はまちまちだ。一方では「国家が、自国の領土や主権、国民の生命、財産を、外国の軍事的侵略から、軍事力によって守ること」という伝統的な定義を掲げる論者がいる。他方、「国家を守るには軍事力だけでなく、外交交渉や経済的結びつきなどの役割が重要だ」とか「人権や地球環境こそ守るべき価値だ」と主張する立場もある。あえて最大公約数的な定義を示すとすれば、次の通りになる。

> 　安全保障とは、主体Aが、何よりも大切だと考える価値Bを、脅威Cから、手段Dによって守ることだ。

　　しかし、これはあまりにも抽象的だ。なぜこうなるかというと、依拠する世界観（ものの見方、考え方）が人によって異なるからだ。したがって各種の情報に触れる際、「この情報の発信者（書き手や話し手）は、どのような安全保障観を持っているのか」について意識することが重要となる。

　　例えば冒頭で言及した「経済安全保障」が、「国家安全保障戦略」（2022年閣議決定、次の囲みは抜粋）でどのように扱われているかを検討してみる。

> 　我が国の平和と安全や経済的な繁栄等の国益を経済上の措置を講じ確保することが経済安全保障であり、経済的手段を通じたさまざまな脅威が存在していることを踏まえ、我が国の自律性の向上、技術等に関する我が国の優位性、不可欠性の確保等に向けた必要な経済施策に関する考え方を整理し、総合的、効果的かつ集中的に措置を講じていく。

　　ここから読み取れることを上の定義に当てはめて分析すると、次のようになる。

A	主体	日本政府
B	価値	日本の平和と安全、経済的な繁栄など
C	脅威	経済的手段を通じた脅威
D	手段	経済分野における日本の自律性、優位性、不可欠性の確保

　　上述の「伝統的な安全保障観」と比べると、AやBには共通性が認められる半面、CやDは大きく異なる。

準2級

2級

1級

政治

経済

暮らし

社会・環境

国際

安全保障

　人間の安全保障とは、人間一人一人に着目し、生存・生活・尊厳に対する広範かつ深刻な脅威から人々を守り、それぞれの持つ豊かな可能性を実現するために、保護と能力強化を通じて持続可能な個人の自立と社会づくりを促す考え方です。グローバル化、相互依存が深まる今日の世界においては、貧困、環境破壊、自然災害、感染症、テロ、突然の経済・金融危機といった問題は国境を超え相互に関連しあう形で、人々の生命・生活に深刻な影響を及ぼしています。このような今日の国際課題に対処していくためには、従来の国家を中心に据えたアプローチだけでは不十分になってきており、「人間」に焦点を当て、さまざまな主体および分野間の関係性をより横断的・包括的に捉えることが必要となっています。

※外務省ウェブサイトより引用。表記は一部改めた

①

A	主体	主権国家
B	価値	グローバル化を背景とする経済発展
C	脅威	突然の経済・金融危機
D	手段	政府による財政政策と中央銀行による金融政策

②

A	主体	主権国家
B	価値	持続可能なグローバル社会
C	脅威	貧困、環境破壊、自然災害、感染症、テロ、経済危機など
D	手段	国連など国際機関の権限強化

③

A	主体	国家および国家以外のさまざまな主体
B	価値	人間一人一人の生存・生活・尊厳
C	脅威	グローバル化に伴う、国境を超えた多分野にわたる問題
D	手段	持続可能な「個人の自立」と「社会の形成」の促進

④

A	主体	国家および国家以外のさまざまな主体
B	価値	さまざまな主体同士の相互依存関係
C	脅威	グローバル化に伴う、国境を超えた多分野にわたる問題
D	手段	諸課題の横断的・包括的な把握

3 理論から考える投票率向上

正解 132ページ

★大学生のアキさんとレイさんは、大学の講義で紹介された有権者の投票参加モデル（次の囲み）に基づいて、地元のX市長選挙の行方などを話し合っています。囲みと会話を読んで、問1、2に答えなさい。

◆有権者の投票参加モデル

ある有権者が、投票するか棄権するかを選択する際、どのような要因に基づいて選択するのかをモデル化した理論は複数ある。中でも有名なのは、次の計算式だ。

$$R = P × B − C + D$$

有権者はR＞0の時に投票し、R≦0の時に棄権する。

[各項の定義（カッコ内は詳しい説明や具体例）]
R＝投票によって自分が得る利益
P＝自分の投票の重要性（自分の1票が選挙結果に与える影響の主観的な大きさ）
B＝候補者間や政党間の「期待効用差」（自分が最も好む候補者が当選した場合に得られる満足度と、自分が最も好まない候補者が当選した場合に得られる満足度の差の大きさ）
C＝投票コスト（候補者の政策を調べたり投票所に行ったりするなど、投票するための手間の大きさ）
D＝投票の長期的利益（投票という有権者の義務を果たすことで個人が得られる満足度の大きさ。「投票義務感」とすることもある）

アキ：地元のX市長選は、現職が引退して無名の新人4人が出馬していますが、盛り上がっていませんね。候補者の目玉政策がいずれも少子化対策で、内容にも大きな差が見えないことが影響していると感じます。今回のX市長選は、【　I　】とも指摘されているそうです。

レイ：前回のX市長選は、投票率が40％でしたね。今回は前回と比べて、期日前投票所の数が少なくなっているうえ、一部の投票所では締め切り時間が繰り上がっています。

アキ：有権者の投票参加モデルに基づいて考えると、投票に行く人を増やすためには、Cの値を下げ、P、B、Dの値を上げることが必要です。一方、このモデルを今回のX市長選に当てはめると【　II　】と言えると思います。現状では、投票率の大幅な上昇は見通せませんね。

レイ：「地方自治は民主主義の最良の学校である」と言われますが、地方選挙の投票率は全国的にも下落傾向です。このモデルから、投票率上昇の糸口は見つけられるでしょうか。

アキ：先行研究では、Pの値はゼロに近いと指摘されます。そのため、P×Bの値もゼロに近くなります。さらにPの値には【　III　】というジレンマもあります。結局、いかにCの「投票コスト」を小さくして、Dの「投票の長期的利益」を高めるかが重要、ということですね。

レイ：Cについては、期日前投票所の増設や、候補者の人柄や政策を市民に伝えるための公開討論会の開催などの取り組みが必要だと思います。一方、Dについては、議会制民主主義への信頼を醸成することが不可欠です。こちらは長期的な取り組みが必要と言えそうですね。

問1 会話文中の【　I　】【　III　】に当てはまる文言は、次のア〜エのうちどれですか。正しい組み合わせを①〜④から一つ選びなさい。囲みと会話以外の要素は考えないこととします。

ア：投票率が前回以下の場合、当日有権者数の1割以下の得票数でも当選する可能性がある
イ：いずれの候補者も法定得票数に達せず、再選挙となる可能性がある
ウ：選挙区の定数が増えれば増えるほど、小さくなる
エ：投票率が上がれば上がるほど、小さくなる

①　I－ア　III－ウ　　　②　I－ア　III－エ　　　③　I－イ　III－ウ　　　④　I－イ　III－エ

問2 会話文中の【　II　】に当てはまる文言を①〜④から一つ選びなさい。囲みと会話以外の要素は考えないこととします。

①　Pの値が小さく、Bの値が大きい　　　②　PとCの値が小さい

③　Bの値が小さく、Cの値が大きい　　　④　BとCの値が小さい

2024年度版
ニュース検定公式問題集

正解と解説

準 2 級

基本問題

政 治

各問題の解説末尾の【●ジ】は、公式テキストの参照ページを示しています

1 私たちの民主主義

(問題→6ページ)

問1 ②

①選挙に立候補できる「被選挙権年齢」は引き下げられていません。立候補できる年齢の下限は選挙の種類によって異なり、最も若くて25歳です。③法定得票数（有効投票総数の一定割合）に達した候補者がいない場合は、決選投票ではなく「再選挙」となります。得票順に関係なく再出馬でき、新たに立候補することもできます。④「10〜20代」とすれば正しい説明になります。60〜70代は全体平均を上回っています。【9、134ジ】

問2 ③

衆議院議員選挙の「都道府県別の小選挙区の定数」「比例代表ブロック別の定数」を決めるために使われます。従来よりも人口比を議席配分に反映しやすい計算方法だとされます。2022年には、アダムズ方式に基づいて都道府県別の小選挙区の定数を「10増10減」することなどを盛り込んだ改正公職選挙法が施行されました。新たな区割りは2024年以降の総選挙から適用されます。②例えば「ドント式」が用いられます。【9ジ】

問3 ②

参議院は約27％、衆議院は約10％です。①正しくは「戦後初の衆院選（1946年）の結果」です。女性の参政権は1945年に認められました。③候補者数をできる限り男女均等にするよう政党などに努力を求めるにとどまります。④地方選挙（首長選挙を除く）も対象です。【8ジ】

問4 ①

得票数1位以外の候補者に投じられた票が議席に生かされず、死票が多くなる傾向があります。②「比例代表制」と「小選挙区制」を逆にすれば正しい説明になります。③秘密選挙、④普通選挙の説明です。平等選挙は「1人1票」として扱う原則のことです。【10ジ】

問5 ②

ア：議員1人当たりの有権者数を求めると、差が最も大きいのはCとEの間です。イ：BとCの定数を1つずつ増やすと最大格差は2倍（AとE、CとE）に縮まりますが、AとDの場合は4倍（CとD）に広がります。ウ：DとEをまとめて定数を1にすれば最大格差は1.5倍（AとC）に縮まりますが、AとCをまとめた場合は8倍（A・Cの合区とE）に広がります。【11ジ】

2 日本政治の現在地

(問題→7ページ)

問1 ①

A：リクルート事件（1988年発覚）で企業・団体献金が問題視され、政治資金規正法の改正（1994年）により禁止されました。政治家との癒着を防ぐためですが、この時は政党・政党支部への献金までは禁止されませんでした。B：国民1人につき年250円を負担し、議員数などに応じて各党に配分されます。政務活動費は、地方議員に議員活動の経費の一部として支給されるお金です。

問2 ①

②登録は任意で、義務ではありません。③マイナカードの保有率は約7割（2023年末時点）です。政府はポイント付与事業などで取得を促してきました。④廃止後にマイナ保険証を持たない人には、従来の健康保険証の代わりとなる「資格確認書」を発行し、引き続き保険診療が受けられるようにする方針です。【13ジ】

問3 ②

こうした「証人喚問」は日本国憲法62条の「国政調査権」に基づきます。対象は国政全般で、政治家の不正疑惑なども含まれます。①通常国会の会期は150日で、1回だけ延長できます。③法案に関する両院協議会の開催は任意です。衆議院で可決され参議院で否決された法案は、衆議院で出席議員の3分の2以上の賛成により、成立させることもできます。④いくつもあります。不逮捕特権は国会の会期中のみ認められます。【14、136ジ】

問4 ②

国会議員が提出する「議員立法」に対して、内閣が提出する法案は「閣法」と呼ばれます。①「全ての国務大臣」を「過半数の国務大臣」とすれば正しい説明になります。③衆議院が先です。④「出席議員の過半数」の賛成で可決できます。

問5 ③

例えば1993年の衆議院議員選挙後に首相に就任した細川護熙氏は、第5党の日本新党（当時）の代表でした。この時の選挙で、第1党の自民党は過半数に届かず、野党8党・会派が細川氏を首相として「非自民連立政権」を作りました。①事実ではありません。55年体制では、ほぼ一貫して自民党の単独政権でした（②）。④事実ではありません。民主党は野党に転落した後に分裂し、その流れをくむのが立憲民主党と国民民主党です。【15ジ】

3 日本国憲法の行方

(問題→8ページ)

問1 ①

A：2007年に衆参両議院に設置されました。B：衆参各議院で既に複数回開催されています。それぞれの審査会で憲法改正原案が出席議員の過半数の賛成で可決され、衆参各議院の本会議で総議員の3分の2以上の賛成

を得ると、憲法改正が発議されます。【16ｼﾞ】

問2 ④

女性宮家について、現行の「男系男子による皇位継承」の維持を主張する立場からは、「女性天皇・女系天皇の誕生につながり得る」との慎重な意見が聞かれます。①現行憲法にこうした規定はありません。大日本帝国憲法（明治憲法）には明記されていました。②憲法改正を承認する権限は国民にあります。③現行憲法には皇位継承について、「皇位は世襲で、皇室典範の定めるところによりこれを継承する」（2条）との規定があるだけです。「男系男子に限る」などの詳細は、皇室典範（法律の一つ）で定められています。【18、19ｼﾞ】

問3 ③

①憲法にこうした明文規定はありません。②長沼ナイキ基地訴訟で札幌地方裁判所が1973年、「違憲」と判断しました。しかし2審は1審判決を取り消し、「統治行為論」（国の統治の基本に関する高度な政治判断は、司法審査の対象外とする考え方）に基づき憲法判断を避けました。その後、最高裁判所は上告を退け、2審判決が確定しました。④これは自民党が2012年にまとめた改憲草案の内容です。自民党はその後、2018年に新たな条文イメージ（改憲4項目）を示し、自衛隊を明記する新たな条文を足す案を掲げています。【19ｼﾞ】

問4 ③

憲法98条が定めています。①前文、②41条、④99条——の内容です。【86ｼﾞ】

問5 ④

①大国が影響力を拡大するため、自国より弱い立場の国に政治、経済、軍事などの分野で介入して主権を侵害すること、②個人の自由を尊重し、これに対する国家の干渉を排除しようとする政治思想のこと、③基本的な原理原則を厳格に守ろうとする立場のこと——です。

4 日本外交の針路は
（問題→9ページ）

問1 ④

新条約の5条に明文規定があります。旧条約には、こうした規定が明記されていませんでした。①旧条約は1951年、戦後日本が主権を回復したサンフランシスコ講和（平和）条約と同時に結ばれました。ポツダム宣言は第二次世界大戦末期の1945年、米国などが日本に降伏を呼び掛けて発したものです。②事実ではありません。旧条約の合憲性が争われた砂川事件で最高裁は、「高度の政治性があり、司法審査の範囲外だ」と憲法判断を避けました（1959年）。③岸信介内閣時代の1960年に改定されました。【20ｼﾞ】

問2 ④

ただし、尖閣諸島を日本の領土だと認める趣旨ではありません。①日中共同声明（1972年）で国交が正常化し

た後、本格的な関係発展を目指して日中平和友好条約（1978年）が結ばれました。②日中国交正常化に伴い、日本と台湾は断交しました。③中国が領有権を主張し始めたのは、周辺の海底に石油資源がある可能性が分かった後の1971年のことです。これに対して日本政府は、「1895年に国際法上、正当な手段で尖閣諸島を編入した」としています。【23、30ｼﾞ】

問3 ②

日ソ共同宣言により、日本はソ連（現在のロシアなど）との国交を回復し、国連加盟を果たしました。宣言には「平和条約を締結後、ソ連は歯舞群島と色丹島を日本に引き渡す」と明記されています。宣言は「平和条約」とは異なる位置づけです。国後島と択捉島には言及されていません。【23ｼﾞ】

問4 ①

会談後に拉致被害者5人が帰国しました。日本政府は他にも被害者がいるとして調査を求めていますが、北朝鮮は「拉致問題は解決済みだ」との立場です。②破棄はしていません。③「韓国との間に領土問題がある」との立場です。④事実ではありません。尹錫悦政権が示した解決策を日本政府は評価し、「国交正常化（1965年）以降で最悪」とも言われた日韓関係は改善が進みました。【22、23、140ｼﾞ】

問5 ①

②領海は、自国の沿岸から12ｶｲﾘ（約22ｷﾛ）までです。③接続水域は、領海から外側へさらに12ｶｲﾘまでの水域です。外国の船も自由に通れますが、沿岸国は密輸や密入国などを防ぐため、疑わしい船の立ち入り検査などができます。④領空は、領土と領海の上空です。【31ｼﾞ】

5 大転換の防衛政策
（問題→10ページ）

問1 ③

A：中国、北朝鮮、ロシアの動向などを念頭に、「防衛力を抜本的に強化する必要があるためだ」と政府は説明しています。財源は歳出改革や増税などで賄うとしています。B：政府の方針に対しては、「専守防衛が形骸化する」「国際法が禁じる先制攻撃になりかねない」との指摘もあります。【24、25ｼﾞ】

問2 ①

集団的自衛権について政府は長年、「保有しているが、憲法9条が禁じる武力行使に当たるため行使できない」との立場を取っていました。安倍晋三内閣は2014年、この憲法解釈を変えて「一定条件の下で行使することは許される」と閣議決定しました。翌2015年に成立した安全保障関連法では閣議決定を踏まえ、「武力行使の3要件」を満たす場合に限り、行使が認められると規定されました。②「非核三原則」として法律に明記されてはいません。三原則のうち「持たず」「作らず」は原子力基本

準2級
2級
1級

101

法などで規定されていますが、「持ち込ませず」を担保する法律はないとされます。③防衛装備移転三原則（2014年閣議決定）は、防衛装備品の輸出を条件付きで認めています。それ以前の「武器輸出三原則」は、輸出をより厳格に制限していました。④憲法の施行（1947年）よりも後です。朝鮮戦争の勃発をきっかけとして1950年に前身となる「警察予備隊」が、その後1954年に「自衛隊」が発足しました。【19、132ページ】

問3 ②

公務中の米兵や軍属（事務員や技師、運転手など）が罪に問われた場合の優先的な裁判権は米国側にある、などの規定があります。①無償で提供しています。③米国の法律が適用されます。④在日米軍基地の「約7割」が集中しています（2023年1月時点）。【25、138ページ】

問4 ②

沖縄県は毎年この日に沖縄全戦没者追悼式を開いています。①12月8日です。日本が米ハワイの真珠湾を攻撃しました。③4月28日です。沖縄が本土から切り離されて、引き続き米国の統治下に置かれたため、沖縄では「屈辱の日」とも呼ばれます。④5月15日です。

⑥ 地方自治のいま

（問題→11ページ）

問1 ④

返礼品競争が過熱したため国は2019年、「返礼品は地場産品に限り、調達費用は寄付額の3割以下」とルールを改め、違反した自治体を制度から外せるようにしました。実際に除外された例もあります。その後も国は、返礼品のルールを厳格化しています（③）。①上限はありますが、所得などによって異なります。高所得者ほど上限が高いため、「富裕層の節税策になっている」との指摘もあります。②地方が多く、都市部では税金の流出が深刻です。また、寄付の受け入れ額で上位の自治体が固定化し、地方間の格差も指摘されています。【27ページ】

問2 ④

団体自治とは、地域の政治を自治体が国から独立して自主的に行うことです。また、住民自治とは、地域の政治を住民の意思に基づいて行うことです。ちなみに、自治事務と法定受託事務は、自治体の事務を大きく二つに分類したときの分け方です。【28、29ページ】

問3 ①

A：地方自治法100条に基づく通称「百条委員会」を設置できます。B：不信任決議を受けた首長は、議会の解散か自身の失職を選ばなければなりません。C：首長が議会を解散できるのは不信任決議を受けた時だけです。D：議院内閣制ではなく「二元代表制」です。【28ページ】

問4 ①

A：国政と異なり地方自治では、議会の解散などを住民が求める直接請求権が法律で認められています。間接

民主制を補うとともに、住民の意思を直接表明する機会を設ける目的があります。B：請求先は内容によって異なります。議会の解散と、選挙で選ばれた人の解職は選挙管理委員会に、監査は監査委員に請求します。【28ページ】

問5 ②

「三位一体改革」は、地方交付税や国庫支出金を削減する代わりに、国税の一部を地方税に切り替える政策です。①Aは地方税です。また、Bは地方交付税、Cは国庫支出金、Dは地方債です。③国庫支出金は地方交付税と異なり、使途が国から指定されます。④自治体の財政の中心であるべき地方税が歳入の3〜4割にとどまり、自治体の自主財源が乏しい状況を指します。【29ページ】

■ その他のテーマ

（問題→12ページ）

問1 ③

メモの表も手がかりにドント式で7議席を配分すると、獲得議席数はA党3、B党2、C党1、D党1——となります。よって①②は誤りです。C党とD党は総得票数に3万票の差がありますが、獲得議席数は同じです。④メモからは、各党の候補者の個人得票数は読み取れません。

問2 ③

「愛媛玉串料訴訟」（1997年判決）などの例があります。①明治憲法に規定はなく、信教の自由も制限つきで認めるにとどまっていました。②安倍晋三氏（2013年）など複数の例があります。④宗教法人法に基づいて、地下鉄サリン事件を起こしたオウム真理教が解散を命じられた例があります。【12、30ページ】

問3 ②

圧力団体（利益集団）は、陳情や政党への献金・集票などのロビー活動（ロビイング）によって、利益の実現を図ります。政権の獲得を目的としない点で政党とは異なります。圧力団体の例としてはほかに、医師の集まりである「日本医師会」などもあります。A：独立行政法人は、国の機関のうち政策立案に直接関わらない部門を分離して設置した法人です。B：カルテルは、商品の価格や生産量を事業者間で取り決める行為です。公正で自由な競争を妨げるとして独占禁止法で禁じられています。

問4 ①

さまざまな情報を自由に得ることは、自らの考えを持ち、表明するうえで不可欠だ、という考え方に基づき、判例でも示されています。②知る権利は憲法には明記されていません。ただし、特定秘密保護法には明記されています。③特定の個人を識別することができる個人情報や、公開すると公益に反する情報などは、不開示とすることができます。④国に先がけて自治体が情報公開の制度化を進めました。【17ページ】

経 済

各問題の解説末尾の【●ジ】は、公式テキストの参照ページを示しています

7 足踏みする日本経済

(問題→13ページ)

問1 ②

①「国内外」ではなく「国内」です。国内で働く外国人による付加価値も含まれます。③これは「実質GDP」の説明です。④輸入額も計算の対象です。GDPは、個人消費や企業の設備投資、公共投資などを合計した「内需」と、輸出額から輸入額を差し引いた「外需」から成ります。【34ジ】

問2 ②

日本の名目GDPは、2017年度に550兆円を超えて以降、2019年度までは前年度比で少しずつ増えてきました。新型コロナウイルスの感染拡大の影響などで、2020年度は539兆円に落ち込みましたが、2021年度は554兆円、2022年度は566兆円と回復しています。【34ジ】

問3 ③

金融緩和を維持する日本と、金融引き締めを進める米国の金利の差が開いた結果、円安・ドル高が進み、物価を押し上げる要因になりました。①デフレーションです。②金融引き締めです。④これは「ハイパーインフレーション」の説明です。デフレスパイラルは、物価の下落と景気悪化の悪循環のことです。【33〜35、48ジ】

問4 ④

A：2024年2月22日に3万9098円を付け、それまでの史上最高値を上回りました（その後も上昇し、3月4日に4万円を突破）。プラザ合意は、日米欧5カ国が1985年にドル高是正のために結んだ合意です。B：日経平均株価は、東京証券取引所の最上位市場「プライム」の上場企業のうち、日本経済新聞社が選んだ225社の株価の平均です。【32ジ】

問5 ①

硬貨の製造は造幣局の役割です。日銀は銀行券（紙幣）を独占して発行し、破損した紙幣の取り換えなどの管理も行います。このほかに、市場に出回るお金の量を調節する「金融政策」を実施する役割を担い、物価の安定と経済の健全な発展を図っています。【35ジ】

問6 ①

A：安倍晋三内閣が掲げた経済政策「アベノミクス」の3本柱の一つ「大胆な金融政策」として、前例のない規模で実施したためこう呼ばれます。B：ちなみに、日銀当座預金の一部の金利をマイナスにする緩和策なども導入しました。C：財政政策は政府が担います。【35ジ】

8 借金頼みの財政

(問題→14ページ)

問1 ②

社会保障費は37兆7193億円と、歳出全体の3割超を占めます。①総額112兆5717億円で、2019年度当初予算から6年連続の100兆円超えです。③事実ではありません。物価高対策や能登半島地震対応などに充てるため、予備費には2兆円を計上しました。予備費は新型コロナウイルス禍以降、巨額計上が続いてきました。2023年度当初予算（5.5兆円）と比べて減額されたものの、コロナ禍前の水準（1兆円以下）には戻っていません。④約3割です。近年、歳入の約3割を新規国債発行によって賄う借金頼みの予算編成が続いています。【36、38ジ】

問2 ④

憲法84条に規定があります。①国会に対して連帯責任を負う「内閣」が作成、提出するので、閣議決定が必要です。②特別会計も国会の議決が必要です。③「補正予算」です。暫定予算は、新年度予算が前年度内に成立しない場合に組まれる「つなぎ予算」のことです。【38ジ】

問3 ①

赤字国債の発行は財政法で禁じられているからです。②初めて発行されたのは1965年度です。③日銀が国債を直接引き受けることは、原則として禁じられています。これを「市中消化の原則」といいます。④建設国債の発行は財政法で認められています。特例国債は赤字国債のことです。【38ジ】

問4 ②

この3税で税収全体の8割超を占めています。①「直接税」と「間接税」が逆です。ただし、消費税の導入（1989年）などによって間接税の比率が上がりました。③水平的公平ではなく「垂直的公平」です。④所得の低い人ほど、所得に占める消費税の負担割合が高く、負担感が重くなる傾向を意味します。【39ジ】

問5 ①

A：消費税は所得の高い低いにかかわらず同じ税率が課されるため、累進課税ではありません。B：「当初所得のジニ係数」と「再分配所得のジニ係数」の差を国ごとに計算すると、P国は0.4、Q国は0.1、R国は0.2――です。よって、所得格差が最も縮まったのはP国です。

9 混迷する世界経済

(問題→15ページ)

問1 ④

FRBの決定は世界経済に与える影響が大きいため、トップの議長は「大統領に次ぐ権力者」とも言われます。①FRBは、米国の中央銀行です。日本の中央銀行である「日本銀行」と同様の役割を担います。②事実ではありません。FRBの設立は1913年です。③「連邦公開市場委員会（FOMC）」を年8回開いて、金融政策の内容を決定します。IMFは国際通貨基金の英略語です。【40、135ジ】

問2 ①

FRBが急速な利上げを実施したことに加え、世界的

なインフレーションの影響で各国・地域の経済は成長が鈍化しました。一方、米国経済は堅調に推移していたことから、多くのお金が米国市場に流れ込んだとみられます。この結果、投資家の需要がドルに集中し、円に限らずユーロやポンドなど多くの主要国通貨に対してドル高が進みました。このように、主要な通貨の中で、ある通貨だけが高騰することを「独歩高」と言います。【42ジ】

問3　③

米国は、中国で先端技術が軍事転用されたり、アプリなどのサービスがスパイ活動に使われたりして、中国が経済と安全保障の両面でさらなる脅威となることを恐れています。このため米国は、中国に対して先端半導体やその関連技術の輸出規制を強化しました。①貿易赤字の状態です。②米国のトランプ政権が「中国が米国の知的財産を勝手に奪っている」などと主張して、関税を引き上げたこと（2018年）が発端です。④2018年以降もおおむねプラス成長を維持しています。【43ジ】

問4　②

B：バハマやカンボジア、ナイジェリアでは既に、中央銀行がCBDCを発行しており、紙幣や硬貨と共存する形で流通しています。ちなみにCBDCは、発行元が中央銀行であるという点で仮想通貨と、使える場所が限定されないという点で電子マネーとは異なります。【43、137ジ】

⑩ 揺らぐ自由貿易体制

（問題→16ページ）

問1　②

ウ：これはEPAだけに当てはまる説明です。FTAは、主に関税を互いに削減・撤廃して貿易を盛んにすることを目指しており、知的財産権保護に関するルールなどは含みません。EPAは、関税の削減・撤廃にとどまらず、投資や知的財産権保護、電子商取引、労働力の移動など幅広い分野での協力を目指します。【46ジ】

問2　②

いずれも参加していません（2023年末時点）。①関税の削減・撤廃にとどまらず、知的財産権保護や電子商取引を含む幅広い分野で共通ルールを整える内容なので、EPAの一種とされます。③今後、参加11カ国の国内手続きを経て、TPPは正式に12カ国体制となります。④TPPにおける日本の関税撤廃率（品目数ベース）は95％です。日本と欧州連合（EU）によるEPA（94％）や地域的な包括的経済連携（RCEP）協定（全体平均で91％）と比べて撤廃率が高いです。【44、47ジ】

問3　③

WTOの多角的貿易交渉は「全会一致」が原則です。加盟国が増えて利害対立が強まり、ドーハ・ラウンド（2001年〜）は難航しています。①ケネディ・ラウンド（1964〜67年）ではなく「ウルグアイ・ラウンド」（1986

〜94年）です。②WTOには、GATT時代にはなかった貿易紛争の処理機能があります。④中国は2001年、ロシアは2012年に加盟しています。【46ジ】

問4　①

内国民待遇は、「外国から輸入されたものやサービスに対して、差別待遇をせずに国産品と同様に扱う」という考え方です。最恵国待遇とともにWTOの2大原則で、WTOの前身である「関税貿易一般協定（GATT）」から受け継がれています。【46、56ジ】

問5　④

A：特許権は、特許庁に出願して認められる必要があります。権利の存続期間は出願から20年です。B：日本と欧州連合（EU）はEPAで互いのGIを保護し合っています。C：日本は環太平洋パートナーシップ協定（TPP）の発効（2018年）に合わせて、著作権の保護期間を「50年」から「70年」に延長しました。【47、137ジ】

⑪ 日本産業のいま

（問題→17ページ）

問1　④

観光公害ともいい、全国各地で問題になっています。①2023年は2507万人で、2019年を超えていません。②最も多いのは韓国（696万人）です。中国（243万人）は台湾（420万人）に次いで3位でした。③「高める」作用があります。（①②の人数はいずれも推計値）【48ジ】

問2　②

ベアは毎月の給与のほか、賞与や退職金にも反映されるため、企業の長期的な負担増につながります。これを避けるため、ベアではなく業績で調整しやすい賞与を増やす傾向があります（③）。①これは「定期昇給」です。④企業側へのベアの要求を強める傾向にあります。【48ジ】

問3　①

半導体の受託生産で世界最大手のTSMCは、ソニーグループなどと共同で熊本工場を建設しました。日本政府も補助金を出すなどして後押ししており、第1工場では2024年末の量産開始を目指しています。経済安全保障の重要性が高まる中、製造工場を国内に設けることで産業基盤を強化する狙いがあります。【49ジ】

問4　②

A：「産業の高度化」ともいいます。B：第3次産業のほうが多く、全体の7割超を占めます（2022年）。C：中小企業は従業員数でも全体の約7割を占めています。このため、中小企業の経営状態の悪化は、日本経済に直接影響します。【50ジ】

問5　②

改正種苗法（2021年施行）によって開発者の許諾なしに持ち出せなくなりました。農産物の開発者の知的財産権を保護する狙いがあります。①改正農地法施行（2009

準2級　2級　1級　政治　経済　くらし　社会・環境　国際　正解

年）後、企業も農地を借りられるようになりました。③2013年から11年連続で過去最高を更新し、近年は１兆円を超えています。④40％未満で、先進国の中でも最低水準です。【50、57ページ】

問6　③

ゼロエミッション車は、走行中に二酸化炭素（CO_2）を出さない車のことです。ＡとＣは電気を動力源とするため、CO_2を出しません。Ｂは電気とガソリンを動力源とするため、ＤとＥより少ないもののCO_2を出します。このため欧米では、Ｂを排除する動きもあります。【51ページ】

12 脱炭素社会への道のり
（問題→18ページ）

問1　④

①これは2050年までの目標です。②二酸化炭素を多く出す旧式の石炭火力発電所の大半をなくす方針で、全廃ではありません。発電効率が高い新式の発電所は今後も使う方針です。③事実ではありません。東京電力福島第１原子力発電所の事故（2011年）後、原発の運転期間は「原則40年で、１度だけ延長（最長20年間）が認められ、最長60年運転できる」と定められました。さらに、2023年５月成立の法律ではこの原則を維持しつつ、安全審査などによる運転停止期間を運転期間から除き、運転開始から実質60年を超えた利用を認めることになりました。【52～54ページ】

問2　②

カーボンプライシングは「炭素の価格付け」と訳されます。企業などが排出する炭素（この場合はCO_2）に価格を付けることによって、排出者の行動を変化させようとする狙いがあります。カーボンプライシングの代表的な手法としては、選択肢のような「排出量取引」やCO_2の排出量に応じて税金を課す「炭素税」が挙げられます。①③④はいずれも、カーボンプライシングには当てはまりません。【53ページ】

問3　③

Ｂ：福島の事故の教訓から、津波など自然災害への対策が強化されたほか、テロなどによる重大な事故への対策が盛り込まれています。Ｃ：原発の運転や再稼働には、規制委から「新規制基準に適合している」と認められたうえで、原発が立地する地方自治体の同意を得ることが必要です。Ａ：福島の事故を防げなかった原子力安全・保安院と原子力安全委員会が廃止され、代わりの規制役として2012年に発足したのが規制委です。【53ページ】

問4　③

原発で使い終わった核燃料を再処理した後に残る「核のごみ」の最終処分場について、場所選びや建設に向けた調査（第１段階の「文献調査」）が、北海道の寿都町と神恵内村で実施されました。処分場の選定手続きを定める最終処分法は、３段階の調査を経て建設地を決めるとしています。①国内には現在、商業用の高速炉はなく、建設予定もありません。②プルサーマルサイクルの再処理工場が、青森県六ケ所村で建設中です（高速炉用は研究開発中）。【55ページ】

■ その他のテーマ
（問題→19ページ）

問1　②

Ｂは米国です（1968年当時、社会主義国では経済規模を測る指標として、資本主義国とは異なる方式を採用）。日本とドイツのＧＤＰは2000年代には約2.5倍の開きがありましたが、ドイツが欧州経済をけん引するまでに成長してきた一方、日本はデフレーションと経済の低迷から長らく抜け出せませんでした。2023年は円安の進行の影響などを受けて、ドルに換算した日本のＧＤＰが縮小し、４位に転落しました。ちなみに、インドは世界５位、英国は６位です。【34ページ】

問2　④

Ａ：マルクス主義は、ドイツの哲学者・経済学者であるマルクスらが体系化した社会主義思想のことです。「資本主義経済では、資本家が労働者を搾取するため貧困が生まれる」などと指摘し、資本主義経済のさまざまな矛盾点を打開することを目指しました。Ｂ：「市場原理に基づく競争」を重視するのは、新自由主義の考え方です。【56、132、137ページ】

問3　③

重要５項目は①②④と乳製品、甘味資源作物（サトウキビなど）です。日本は国内農業を守るため、ＴＰＰ交渉で関税を撤廃しない「聖域」と位置づけました（５項目のうち一部品目は関税撤廃を受け入れ）。ＲＣＥＰでは関税削減・撤廃の対象から外されました。

問4　①

ＲＣＥＰ（地域的な包括的経済連携）は、計15カ国が参加する巨大経済圏です。イは④ＡＳＥＡＮ（東南アジア諸国連合）、ウは②ＴＰＰ（環太平洋パートナーシップ協定）です。③ＢＲＩＣＳは、ブラジル、ロシア、インド、中国、南アフリカの頭文字を取った造語です。2024年１月にエジプトなど新たに５カ国が参加し、計10カ国の集まりになりました。【47、119ページ】

問5　④

ディスクロージャー（情報開示）のための資料としては例えば、上場企業などが公表している「有価証券報告書」があります。①この場合、多くのお金を持ち、かつ経営能力のある人がいないと株式会社を作れません。これを避けるため、株主と経営者は別々でもよいとされています。②株主は出資したお金以上の責任を負いません。③法令順守だけでなく、広く社会規範を守ることを意味すると解されています。

暮らし

各問題の解説末尾の【○㌻】は、公式テキストの参照ページを示しています

13 加速する人口減少

(問題→20ページ)

問1 ①

A：推計の基になった国勢調査（B）によると、2020年の総人口は1億2615万人でした。B：日本国内に居住する人（外国人を含む）や世帯の実態に関する調査で、5年ごとに実施されます。労働力調査は総務省統計局が毎月実施する、就業状況、失業数などの統計で、総人口とは関係ありません。【58㌻】

問2 ③

厚生労働省の「人口動態統計」（対象は国内の日本人のみ）によると、2022年の出生数は77万759人で、統計を取り始めた1899年以降で初めて80万人を割りました。2016年に100万人を割ってから減り続けています。①15～64歳の人口のことです。学歴は関係ありません。②その年の死亡数が出生数を上回ることです。④約9割が女性です。【58、59㌻】

問3 ②

厚生労働省によると、2022年は男性81.05歳、女性87.09歳で、男女とも2年連続で前年より短くなりました（C）。新型コロナウイルス感染症による死者が増えたことが原因とみられます。それでも女性は、国別の平均寿命で1985年からずっと1位となっています。男性は2022年は4位でした。平均寿命が延びて高齢者人口が増えたことと、少子化で若年人口が減ったことが、高齢化の主な原因です（B）。【58㌻】

問4 ③

国連などは、高齢化率が7％を超えると「高齢化社会」、14％超で「高齢社会」、21％超で「超高齢社会」と定義しています。日本は他国に比べて速いペースで高齢化が進み、高齢化率は先進国で最も高いです。ちなみに、A：フランス、B：米国、D：中国——です。【60、74㌻】

問5 ②

「団塊の世代」は一般に、終戦後の1947～49年に生まれた人たちを指します。この時期の出生数は、年260万人を超えていました。2025年には「団塊の世代」の全員が75歳以上の後期高齢者になるため、現役世代の負担が一層増して、社会保障制度が揺らぐことが心配されています。①国の借金残高は2023年末時点で1200兆円を大きく超えています。【38、58、61㌻】

14 社会保障のこれから

(問題→21ページ)

問1 ②

「全世代型社会保障」の実現と、少子化の急速な進行に歯止めをかけることを目的に実施します。政府は子ども1人当たりの子育て予算を、先進国トップのスウェーデン並みにする考えです。①受給開始時期の原則「65歳」は変わっていません。希望する人のみ75歳まで繰り下げられるようになりました。③初診も2020年度に時限的に認められ、2022年度からは通常の保険診療になりました。④「母子世帯」を「高齢者世帯」とすれば、正しい説明になります。【62、64、74㌻】

問2 ①

②老齢年金の受給に必要な保険料の納付期間は「10年以上」です。2017年に、それまでの「25年以上」から要件が緩和されました。満額を受給するには40年間納める必要があります。③本人と勤め先の企業が折半します。④厚生年金は、所得に応じて保険料や受給額が変わります。【63、64㌻】

問3 ③

加入する保険は年齢や職業で異なり（①）、元々は自営業者が主な対象でした（②）。しかし近年、無職や低賃金の人が増えて保険料収入が悪化し、運営する市町村の中にはやりくりが厳しいところもありました。そこで運営主体が2018年度から、財政基盤が比較的安定している都道府県に変更されました（④）。【65㌻】

問4 ②

原則1割で、所得の多い一部の人は2割または3割負担です。①原則65歳以上の、介護が必要だと認定された人に介護サービスを提供する制度です。③税金と保険料で賄っています。④介護保険料を納めるのは「40歳以上」です。国民年金の保険料を納めるのが原則として20～59歳なのは事実です。【65㌻】

問5 ①

社会保障給付費の分野別の内訳は、「年金」（A）、「医療」（B）、「福祉その他」（C）——の順に多いです。「福祉その他」には「介護」が含まれます。社会保障給付費は毎年度、過去最高額を更新し、高齢化によって今後も増えていくと見込まれます。【65㌻】

15 変化する日本の働き方

(問題→22ページ)

問1 ③

引き上げ額・率ともに過去最高で、全国平均は初めて1000円を超えました。政府は近年、「全国平均1000円」の早期実現を目指していました。【66㌻】

問2 ①

ギグワーカーのような単発仕事の請負でもフリーランスは法律上、会社と業務委託契約を結ぶ「事業主」とされ（②）、最低賃金や残業規制などの公的セーフティーネットの対象外です。国民健康保険にも自ら加入し、保険料を全額納める必要があります。③増加傾向です。④立場の弱さに起因する課題の解消を目指した新法が2023年4月、成立しました。【67㌻】

問3 ③

①合理的な理由がある場合は、待遇差を認めます。④中小企業にも2021年から適用されています。【68㌻】

問4 ③

A：2023年時点で約1割です。B：男性は約2割なのに対し、女性は5割を超えます。残業や転勤が求められる正社員では出産・育児との両立が難しく、女性の側が非正規雇用を選びがちだ——などの事情が賃金にも影響しています。C：性別によって職務内容を限定した募集も、差別に当たるとして禁じられています。【69㌻】

問5 ②

①共働きでなくても取得できます。③事実ではありません。休業中の所得保障としては、雇用保険から支給される給付金があります。④厚生労働省の調査によると、男性は17.1%で前年の14.0%から3.1㌽増えましたが、女性（80.2%）に比べて開きがあります。政府は「こども未来戦略」（2023年閣議決定）で、1週間以上の取得率を2025年までに民間50%、公務員85%とする目標を掲げています。【69、75、133㌻】

問6 ②

正規雇用は試用期間などを除き、原則として雇用期間を定めません。これに対し、非正規雇用の多くは期間を決めて雇用契約を結びます。ただし、契約が繰り返し更新されて通算5年を超えた時は、労働者の申し出により雇用期間を定めない無期雇用に転換できます。【75㌻】

16 豊かな消費を守る
(問題→23ページ)

問1 ①

「ステマ」とも呼ばれます。2023年10月からは景品表示法が禁じる「不当表示」とみなされ、規制されています。②インターネット上に出回った情報は、完全に消すことが困難なさま、③月額1000円といった定額料金でサービス・商品を提供するビジネスモデル、④データを受信しながら同時に再生すること——です。【70、91㌻】

問2 ④

民法上、未成年者の契約には法定代理人（親など）の同意が必要で、同意なしに結んだ契約は取り消せます。18、19歳は未成年者ではなくなったため、親などの同意なしに契約できる（A）一方、自分で結んだ契約は原則として取り消せなくなりました（B）。【71㌻】

問3 ②

「救済（補償）を受ける権利」ではなく、「知らされる権利」です。その後の消費者保護の世界的な指針となりました。国際消費者機構は、この四つの権利や②を含む「消費者の八つの権利」を唱えており、これらの権利は日本の消費者基本法にも反映されています。【72㌻】

問4 ①

特定商取引法は、消費者トラブルが起きやすい取引について、事業者の不当な勧誘行為などを規制する法律です。②取引の種類によって異なります。③支払う必要はありません。④クーリングオフした場合、政令で定められたこうした関連商品も返品でき、代金を返してもらえます。【73、75㌻】

問5 ③

ＰＬ法は製品事故による被害者を救済するため、1994年に成立しました。それまでは民法上、被害者側がメーカー側の過失まで立証しなければ、損害賠償が認められない場合が多くありました。①道路運送車両法、②景品表示法、④公害健康被害補償法——です。【72㌻】

問6 ③

消費者委員会は2009年、消費者庁と同時に設置されました（①）。②「消費者事故調」とも呼ばれ、警察庁ではなく、消費者庁に置かれています。④消費生活センターの説明です。国民生活センターは消費者庁所管の独立行政法人で、消費者行政と国民の間の橋渡し役です。【73㌻】

■ その他のテーマ
(問題→24ページ)

問1 ④

A：社会保険は、医療、年金、介護、雇用、労災の5種類あります。B：社会福祉は、子どもや高齢者、心身障害者など社会的に弱い立場の人に施設・サービスを提供します。C：公的扶助は、「生存権」を定めた日本国憲法25条と生活保護法に基づきます。D：公衆衛生は、イのほか、地方自治体による清掃や上下水道の整備などを通じて、国民の健康増進や生活環境の整備を図ることを目指しています。

問2 ②

「8050」は「80代の親と50代の子ども」という、この問題がみられる世帯の典型的な家族構成にちなみます。「7040問題」といわれる場合もあります。収入を親の貯蓄や年金に依存し、貧困に陥りやすいとされます。背景にはひきこもりの長期化などがあります。①2025年問題、③老老介護、④ダブルケア——のことです。【61㌻】

問3 ②

「ジョブ型」は仕事の内容を限定したうえで必要な技能を持つ人を雇う形態です。専門性が高まりやすく、即戦力として転職しやすいと言われます。①③これは日本独特の雇用慣行「メンバーシップ型雇用」の特徴です。④必ずしも当てはまりません。仕事の内容が明確なため、一般的には向いているとされます。【75㌻】

問4 ①

C：2020年以降は新型コロナウイルスの感染拡大に伴う営業自粛や不況の影響で、宿泊、飲食サービス業などを中心に非正規雇用の女性の解雇や雇い止めが目立ち、2019年より減っています。【75㌻】

社会・環境

各問題の解説末尾の【●ᢟ】は、公式テキストの参照ページを示しています

17 子どもと教育のいま

(問題→25ページ)

問1 ②

法の施行後、学校がいじめを積極的に把握する動きが強まっており、全体として増加傾向です。①教育機会確保法（2017年施行）で定められています。ただし、フリースクールなどの民間教育を義務教育として認めているわけではありません。③対象は世帯年収などの条件を満たす学生に限られます。政府の「こども未来戦略」（2023年閣議決定）には、こうした給付型奨学金の対象を拡大することが盛り込まれました。④国連の障害者権利委員会は日本に対し、インクルーシブ教育で障害のある子どももない子どもも同じ教室で学ぶ機会を確保するよう求めています。【76、79、133ᢟ】

問2 ④

A：「相対的貧困」です。絶対的貧困とは、食料、住む家など生きるのに最低限必要なものがないことです。相対的貧困と同じく基準があり、世界銀行は「1日の生活費が1.9ᢵ未満」のことを絶対的貧困と定義しています。B：事実ではありません。日本のひとり親世帯の特徴は、就業率が8割を超える（2021年度）にもかかわらず、貧困状態にある割合が約5割と高いことです。背景には、育児中の労働者への理解が少ないこと▽労働時間などの柔軟性が比較的高いものの賃金が低い非正規雇用で働く人も多いこと▽ひとり親世帯への公的支援の不足——など、さまざまな問題が絡んでいます。「子どもの貧困対策推進法」では、子どもの貧困対策を国の責務と明記しています。【78ᢟ】

問3 ②

①こうした権利を「親権」といい、子が未成年のうちは、財産管理や生活場所の決定などに関わる権利があります。民法は親権について、「子の利益のために権利を有し、義務を負う」と定めています。ちなみに、婚姻中は父母が共同で親権を行使します。③2022年の法改正で削除されました。④学校教育や幼児教育などの分野は文部科学省が引き続き担当します。【77、78ᢟ】

問4 ④

①保護の対象としてだけではなく、権利の主体としても位置づけています。②批准は1994年です。2022年にこども基本法が成立するまで条約に対応する包括的な国内法がなく、問題視されていました。③教育を受ける権利は、日本国憲法26条1項で「すべて国民は、法律の定めるところにより、その能力に応じて、ひとしく教育を受ける権利を有する」と保障されています。【135ᢟ】

18 共生社会への道のりは

(問題→26ページ)

問1 ③

A：大阪地裁は5地裁で唯一、現行制度は「合憲」との判断を示しました（資料1）。ただ、社会状況の変化によっては将来的に違憲となる可能性にも言及しました。残る4地裁は現行制度を「違憲」または「違憲状態」と判断し、法の整備を国に迫る形となりました。【80ᢟ】

問2 ②

従来は原則「全件収容」でしたが、批判を受けて、この方針の見直しなどを盛り込んだ改正出入国管理及び難民認定法（入管法）が2023年に成立しました。①中国です。2位に「特定技能」などで働く人が急増するベトナムが続きます。③適用されます。ただし、在留資格のない人を雇うのは違法です。④増加傾向です。【81、83ᢟ】

問3 ③

ノートテーカーと呼ばれ、多くの大学が募集しています。①合理的配慮を「しなければならない」と障害者差別解消法で義務づけられています。また、民間事業者も2024年4月から法的義務を負います。②障害者差別解消法では「実施に伴う負担が過重でない」ことが前提とされています。可能な範囲で何ができるかを話し合うことが求められます。④こうした対応は「不当な差別的取り扱い」に当たります。【82ᢟ】

問4 ④

ヘイトスピーチ解消法は、日本国憲法が保障する「表現の自由」との兼ね合いから、禁止規定や罰則は設けていません。ただし、川崎市では2020年、全国で初めてヘイトスピーチに対する刑事罰を定めた人権条例が施行されました。①技能実習制度を廃止し、「育成就労」と呼ばれる新たな制度を創設する方針を決めました（2024年2月）。技能実習制度が日本の技術を海外に伝える「国際貢献」を本来の目的としていたのに対し、新制度は人材の育成や確保を目的とし、これまで原則できなかった「転籍」（職場を変えること）も条件付きで認める方針です。③政府は、国連で「先住民族の権利宣言」が採択された翌年の2008年になって初めて、アイヌ民族を先住民族だと認めました。その後、アイヌ施策推進法に明記しました。【81、83ᢟ】

19 司法と人権保障

(問題→27ページ)

問1 ③

①これは「差し戻し」の説明です。再審は、確定した判決に重大な誤りがあった時などに、裁判をやり直す手続きです。刑事、民事裁判それぞれで定められています。②真犯人が見つかっていなくても、新証拠の発見により有罪判決への疑いが生じれば、再審が開始される場合があります。④認められています。【84ᢟ】

問2 ②

A：「同意のない性的行為は犯罪だ」と強調する狙いから、強制性交等罪（かつての強姦罪）と準強制性交等罪が統合され、このように改称されました。B：法改正により、13歳から16歳に引き上げられました。ただし、年齢が近い人同士による合意のうえでの性的行為は、例外規定により処罰対象から外されました。【85ページ】

問3 ①

ただし3審制のもと、最終的に判断する権限は最高裁にあります。②日本では、個々の裁判で具体的な紛争を解決するのに必要がなければ審査できません。③事実ではありません。例えば「1票の格差」について審査し、判断を示しています。④特別裁判所の設置は日本国憲法で禁じられています（76条2項）し、最高裁にこうした権限もありません。【86ページ】

問4 ①

A：18歳以上の有権者の中からくじで選ばれます。B：守秘義務に違反すると、刑罰が科される場合があります。C：いずれも対象は刑事事件のみです。D：裁判員裁判は地方裁判所で開かれます。検察審査会は地裁（支部を含む）の建物内にあります。【86ページ】

問5 ③

少年事件では、罪を犯した疑いのある少年を全員、家庭裁判所に送ります（A）。家裁は少年の生い立ちや事件の背景などを調べ、多くの場合は少年審判によって保護処分（保護観察や少年院送致など）とします（B）。刑事処分とは、20歳以上と同様の刑事手続きにかけることです。【87ページ】

20 情報社会に生きる
（問題→28ページ）

問1 ②

日本は欧米と比べて活用に積極的な立場です。一方、欧州連合（EU）は規制強化で先行しています。①AIに対してはこうした「ブラックボックス」との懸念があります。③入力した個人情報が、赤の他人への返答に利用されて出力される、との指摘です。④著作権侵害を訴える声が国内外にあります。【88～90ページ】

問2 ①

A：ターゲティング広告は「追跡型広告」ともいいます。フェイスブックを運営する米IT大手メタなどが収益の柱にしてきました。タイアップ広告は、企業がメディアと連携して、通常の記事のような体裁をとりつつ自社の製品やサービスを宣伝するものです。ネットに限らず新聞や雑誌でもみられます。B：クッキー（Cookie）は、ネット利用者がウェブサイトを訪問すると、サーバーから利用者のブラウザーに発行されるデータです。マルウエアは、コンピューターウイルスなど悪意のあるソフトです。【89ページ】

問3 ③

A：ディープフェイクの作成・拡散自体を禁じる国内法はありません。ただし、名誉毀損や著作権侵害の罪で有罪判決を受けた例はあります。B：ファクトチェックの主な担い手は報道機関や民間団体です。各国のファクトチェック団体が加盟する「国際ファクトチェックネットワーク」は、「非党派性・公正性」を原則の一つに掲げています。【90ページ】

問4 ②

A：投稿内容が真実であったとしても、名誉毀損罪に問われる場合があります。B：侮辱罪の法定刑に「1年以下の懲役・禁錮」「30万円以下の罰金」が加わりました（2022年施行）。それまでは拘留・科料だけでした。C：プロバイダー責任制限法が改正され、従来は2回必要だった手続きが1回で済むようになりました（2022年施行）。【91、104ページ】

21 いのちと科学を考える
（問題→29ページ）

問1 ①

それまでは行動制限を含む厳しい対応が可能な「2類相当」でした。②ワクチン接種が進み、重症化率や死亡率が下がったことが要因です。ウイルスの変異は今も続いています。③通常の保険診療と同様に、原則として医療費の1～3割を自己負担するようになりました。④出せなくなりました。緊急事態宣言が出せるのは、国民の生命・健康に重大な被害を与えかねない感染症（新型インフルエンザなど）に限られます。【92ページ】

問2 ④

①認知症の原因で最も多いのはアルツハイマー病です。②患者数は高齢化の進行とともに増えており、2020年には約600万人に達したと推計されます。さらに2025年には、約700万人に増えると予測されています。③事実ではありません。免許更新時に認知機能検査を受けることは義務づけられています。【93、104ページ】

問3 ①

A：0～9歳の死因としてほとんどみられず、10～39歳の死因として最も割合が高いため、「自殺」だと考えられます。「不慮の事故」は、子どもの死因として一定程度の割合を占めます。B：子どもの死因として割合が高く（小児がん）、中高年でも高いため、「心疾患」ではなく「悪性新生物（がん）」だと考えられます。

問4 ②

HPVワクチンは2013年、小学6年～高校1年の女子が無料で受けられる「定期接種」の対象になりました。接種後に全身の痛みなどを訴えるケースが相次ぎ、国は接種の積極的な呼びかけを中断していましたが、2022年に再開しました。国外では、がんの罹患リスクが低下したとの報告があります。

109

問5 ②

　NIPTはダウン症など3種類の染色体異常があるかどうかを推定する検査で、確定診断には羊水検査などが必要です。特定の病気を持つ子どもの排除につながるとの指摘もあります。A：体外受精は不妊治療の一種で、シャーレ（皿）内で精子と卵子を受精させます。B：出自を知る権利は、子どもが遺伝上の親を知る権利のことで、体外受精などで第三者の精子や卵子を使った場合に問題になることがあります。【95ページ】

㉒ 災害と日本
(問題→30ページ)

問1 ③

　治水ダム・堤防に加え（④）、流域ごとにハード、ソフト両面の対策を官民一体で進めます。①温帯低気圧ではなく、熱帯低気圧です。②冬型の「西高東低」という気圧配置と直接の関係はありません。梅雨前線などが停滞した時に発生しやすいです。【96、105ページ】

問2 ④

　日本海溝と千島海溝それぞれに沿って予想される巨大地震について、国は2021年、被害の想定を発表しました。早期避難や津波避難タワー建設などの対策で死者数は最悪のケースから8割減らせると強調しました。南海トラフ巨大地震については2012、13年、首都直下地震については2013年に発表されています。【97ページ】

問3 ②

　Ⅱはローリングストック法という備え方です。非常食としてではなく、日ごろから食べている食品を一定量備蓄するため、考え方Bに当てはまります。この考え方は「日常」「非常」というフェーズ（状態）の区別にとらわれないため「フェーズフリー」と呼ばれます。【98ページ】

問4 ③

　A：関東大震災では、揺れに伴う火災の犠牲者が全体（約10万人）の9割近くを占めました。火災が多発した主な背景として、地震の発生時刻が正午前で、家庭でかまどの火を使う昼食時だったことが挙げられます。特に東京の木造住宅密集地域では、消し止めることができなかったあちこちの火が合流して燃え広がり、多くの犠牲者を出しました。B：阪神大震災の犠牲者の多くは倒れた建物などの下敷きになった圧死、C：東日本大震災の犠牲者の多くは津波に巻き込まれた溺死でした。【98、99ページ】

問5 ③

　①2023年2月時点で、いまだ3万人以上が避難しています。②当初は2021年に取り出し作業を始めるとしていましたが、困難を極め、開始できていません（2023年末時点）。④国は帰還困難区域内に設定した特定復興再生拠点区域（復興拠点）で除染作業を進め、2023年までに復興拠点の避難指示を全て解除しました。また、復興拠点外の帰還困難区域の一部でも、住民の帰還を目指して除染作業を進めている場所があります。【99、138ページ】

㉓ 地球環境を守るために
(問題→31ページ)

問1 ③

　①環境を汚染した者が、その浄化や補償などの費用を負担すべきだという原則、②過失の有無に関わらず加害者が賠償責任を負うこと、④生物多様性条約で「先進国が途上国の遺伝資源から得た利益を途上国に還元する」という意味で導入された考え方——です。

問2 ③

　パリ協定は、「産業革命前からの気温上昇を2度未満に、可能なら1.5度に抑える努力をする」目標を掲げています。参加国それぞれが温室効果ガスの排出削減目標を立てる▽削減目標達成に向けた取り組みを実施し、2年ごとに報告する▽報告を基に、5年ごとに世界の削減状況を評価する▽評価を基に、新たな削減目標を提出する——の繰り返しで、パリ協定の目標達成を目指します。①「実質ゼロ」は、排出量から植林などによる吸収量を差し引いてゼロにすることです。②京都議定書は先進国にのみ排出削減を義務づけていました。④事実ではありません。2021年の国際会議で、パリ協定より踏み込んで「1.5度に抑える」ことを事実上の目標として合意しました。【101、102ページ】

問3 ④

　①減っています。主な輸出先だった中国や東南アジアの国々が、プラごみの輸入を禁じたり、規制を強化したりしたためです。②有害な化学物質を吸着しやすく、またマイクロプラスチック自体も生物に有害だと疑われており、影響について研究が進められています。③禁止は定められていません。使い捨てプラスチック削減の取り組み自体は事業者に義務づけられています。【7、102、105ページ】

問4 ①

　②企業は異なりますが、原因物質は同じメチル水銀です。③法律名が逆です。④明治時代に起きた足尾銅山鉱毒事件は、日本の公害の原点とされます。環境庁の設置は四大公害病が問題となった後の1971年です。【103、132ページ】

問5 ②

　①UNEPは、国連人間環境会議（ストックホルム会議、1972年）の決議に基づいて設立されました。③④「水俣条約」と「バーゼル条約」を入れ替えれば、それぞれ正しい説明になります。ちなみに、2023年の水俣条約の締約国会議では、直管蛍光灯の製造や輸出入の禁止が決まりました。水銀を使用する蛍光灯の製造と輸出入が2027年までに全面禁止となります。【102、105ページ】

■ その他のテーマ

(問題→32ページ)

問1 ③

B：自治体のパートナーシップ証明書に法的な効力はなく、社会保障や税制で法律婚の夫婦と同じ待遇が保障されるわけではありません。A：一定の条件を満たせば家庭裁判所の審判を経て変更が認められます。C：結婚する際にそれぞれの夫婦が「同姓、別姓のどちらを名乗るか」を選べる制度のことです。【80〜82ジ】

問2 ④

「国選弁護制度」です。起訴された被告のほか、勾留中の容疑者も利用できます。①検察官ではなく「裁判官」です。②全面可視化が義務づけられているのは、逮捕事件のうち、裁判員裁判の対象事件と検察の独自捜査事件だけです。③拷問などで得られた自白はその内容を問わず、証拠にできません（日本国憲法38条）。【87ジ】

問3 ①

プライバシー権は従来、「私生活をみだりに公開されない権利」と理解されてきました。近年は「自分に関する情報の扱いを自ら決める権利」（自己情報コントロール権）とみなす考え方が広がりつつあり、これも背景に忘れられる権利が主張されるようになってきました。②意見発表の場を個人がマスメディアに求める権利、③著名人が、自身の名前や写真を商業利用して得られる利益を独占できる権利、④健康で文化的な最低限度の生活を営む権利——です。【91ジ】

問4 ②

成人患者の75％は24歳までに発症するとの報告があります。③世界保健機関（WHO）は2019年、ゲームにのめり込んで日常生活に支障をきたす「ゲーム障害」を精神疾患の一つと位置づけました。

問5 ①

臓器移植法は1997年に制定され、2009年に改正されました（2010年施行）。法改正により、以前は認められていなかった15歳未満からの提供も可能になりました。②意思表示があったとしても、家族の承諾は必要です。③意思表示をしていれば、親族（配偶者、子ども、父母）に優先して提供できます。④改正法の施行後、脳死下の臓器提供が増え、心停止後の臓器提供は減る傾向にあります。

国　際

各問題の解説末尾の【●ジ】は、公式テキストの参照ページを示しています

24 平和な世界どうやって

(問題→33ページ)

問1 ②

ウクライナ南部クリミア半島を2014年、一方的に併合しました。①ウクライナ系住民ではなく、ウクライナ東部の「ロシア系住民」の保護のためだと主張しました。③このような決議が採択されたことも多国籍軍が派遣されたこともありません。侵攻を巡ってロシアに不利な安保理決議案が提出されたとしても、常任理事国であるロシアが拒否権を行使することが見込まれるため、採択は事実上、不可能です。④事実ではありません。米国はウクライナへの大規模な軍事支援を実施してきました。【106、108、112ジ】

問2 ①

欧州のユダヤ人はナチス・ドイツによる迫害を受けました。大戦終結後の1948年にイスラエルが建国され、多くのユダヤ人が移住しました。②「オスロ合意」です。プラザ合意は、日米欧5カ国が1985年にドル高是正のために結んだ合意です。③国内のユダヤ系圧力団体などの影響力が強く、イスラエル寄りの立場を取ってきました。④エジプト（国交樹立は1979年）とヨルダン（同1994年）に加え、2020年にモロッコなど4カ国が国交正常化に合意しました。【107、109ジ】

問3 ②

A：オスロは、パレスチナ側とイスラエルによる和平合意（1993年）の交渉の舞台となったノルウェーの首都です。この街の名前にちなみ、合意を「オスロ合意」と呼びます。B：タリバンは、アフガニスタンで政権を握るイスラム主義組織です。【106、107、109ジ】

問4 ②

①加盟国に対する法的拘束力はありません。③国連創設は1945年、日本の加盟は1956年です。④原則として禁止していますが、攻撃を受けた加盟国による個別的または集団的自衛権の行使▽安保理の決定による軍事行動——の二つは、例外として認められています。【108ジ】

問5 ④

安保理は国連の主要機関の一つで、国際平和と安全の維持に責任を負います。総会決議と異なり、安保理決議には加盟国に対する法的拘束力があります。①合計15カ国（常任5、非常任10）です。②常任理事国だけが持っています。③冷戦終結後も多数あります。【108、121ジ】

問6 ④

緒方貞子さんが1991年から2000年まで、トップの国連難民高等弁務官を務めました。①第二次世界大戦終結後の1951年に採択されました。②「人種、宗教、国籍、政治的意見や特定の社会集団に属することを理由に迫害

される恐れがあり、他国に逃れた人」と定義し、経済的理由で自ら母国を離れた人は該当しません。③増えています。【109ページ】

㉕ 核兵器と向き合う世界
(問題→34ページ)

問1 ③

①新ＳＴＡＲＴは米露２国間の条約です。しかしウクライナ侵攻以降、米露対立が深まる中、2023年2月にロシアが条約の履行停止を表明し、米国も対抗措置をとりました。双方は離脱していないものの、新ＳＴＡＲＴの期限は2026年で、延長交渉の見通しは立っていません。②米国（5244発）ではなくロシア（5889発）です。④保有数を増やしています。米国は、中国が2030年までに1000発以上の核弾頭を保有する可能性があるとみています。【110、113ページ】

問2 ①

条約の署名開始（1968年）より前に核実験を実施していた米国、英国、フランス、ロシア、中国の５カ国に認めています。②事実ではありません。③「核兵器を使う」という威嚇は核抑止力の根幹です。核禁条約が禁じる一方、ＮＰＴは禁じていません。④米国の「核の傘」の下にある日本は条約に賛同しておらず、署名も批准もしていません。【111ページ】

問3 ①

大量破壊兵器は一般に核兵器、化学兵器、生物兵器を指します。一度に大量の死傷者を出す威力があることから、こう呼ばれます。クラスター爆弾や対人地雷は「通常兵器」に分類されますが、一般市民も被害に遭いやすい点で特に非人道的だとされ、どちらも製造、使用などを禁じる条約があります。【111ページ】

問4 ①

ＮＡＴＯは、冷戦時代にソ連（現在のロシアなど）を中心とする東側陣営に対抗するために結成され、現在は世界最大の軍事同盟です（②）。③ＥＵから離脱した英国、ＥＵ未加盟のトルコやノルウェーも加盟しています。2023年にはフィンランドが加盟し、2024年2月にはスウェーデンの加盟も決定しました。④ウクライナはＮＡＴＯへの加盟を希望していますが、実現していません（2023年末時点）。【112ページ】

問5 ②

旧ソ連構成国が核兵器を放棄する代わりに米英露がその安全を保障した「ブダペスト覚書」（1994年）に基づき放棄しました。旧ソ連の核兵器はロシアに集約されました。①核拡散防止条約で核保有を認められた５カ国の一つです。③核保有を明言していませんが、保有が確実視されています。④1998年、インドに続いて地下核実験をしたと発表し、核保有を認めました。【113ページ】

問6 ④

冷戦時代の1962年、米国の間近に位置する社会主義国キューバにソ連が核ミサイルを配備していることが発覚し、米ソ間の軍事的緊張が一気に高まりました。米国側はケネディ大統領、ソ連側はフルシチョフ首相が交渉にあたり、危機を回避しました。A：マルタ会談は冷戦の終結を宣言した米ソの首脳会談、B：トルーマンは第二次世界大戦終結時の大統領——です。【112、134ページ】

㉖ 米国 次のリーダーは
(問題→35ページ)

問1 ③

選挙妨害など四つの事件を巡り2023年に起訴されました。米国の憲法や連邦法では、起訴された人物が大統領選に立候補することを禁じる規定はないとされますが、裁判の行方が大統領選に影響する可能性もあります。①バイデン氏は現在1期目で、再選を目指して立候補を表明しています。米大統領の3選は禁止されています。②復帰していません。④これはバイデン政権の外交政策です。トランプ政権は自国の利益を最優先する「米国第一主義」を掲げました。【106、114、115、120ページ】

問2 ②

大統領が行政府の最高責任者として、連邦政府機関や軍に出します。例えば、トランプ前大統領はイスラム圏からの入国を禁止する命令を出し、バイデン大統領はそれを撤回する命令を出しました。議会はこれを覆す内容の法律を制定して対抗できます。裁判所の違憲審査の対象にもなります。①上下両院が3分の2以上の賛成で再可決すれば、法案は成立します。③ありません。弾劾はできます。④賛否同数になった場合だけ票を投じます。選択肢の前半は事実です。【115、120ページ】

問3 ③

①選挙人（本選後に大統領候補に投票する人＝②）の獲得数が多い候補が当選します。大半の州では、1位の候補がその州の選挙人全員を獲得するため、全米の最多得票者が落選する場合もあります。④上院100、下院435です。上院は各州2人、下院は州の人口によって定数が割り振られます。【115、120ページ】

問4 ②

1963年のデモ「ワシントン大行進」での演説です。①1964年の公民権法制定まで続きました。③白人警官らによる黒人への過剰な暴力や、その背景にある人種差別に抗議する市民運動のスローガンです。2020年、警官が黒人男性を拘束する際に死亡させた事件をきっかけに注目を集めました。④メキシコ国境を越えて流入する中南米からの不法移民が問題となってきました。

問5 ④

このイラク戦争でフセイン政権が崩壊しました。大量破壊兵器は見つかりませんでした。②国際テロ組織アル

カイダの指導者であるビンラディン容疑者（①）をかくまっているとしてアフガニスタンを攻撃し、タリバン政権が崩壊しました（2001年）。米軍はその後もアフガンに駐留していましたが、2021年に撤収し、直後にタリバンが復権しました。カダフィ政権は「リビア」です。長期にわたり独裁体制を敷いていましたが、中東の民主化運動「アラブの春」によって2011年に崩壊しました。③ブッシュ（子）政権です。【106、139ページ】

27 鈍る中国 台頭する国々
（問題→36ページ）

問1 ③

①行政機関と裁判所は立法機関である全人代（③）の監督下にあり、三権分立は否定されています。②「党が国家を指導する」として、党を国家の上に位置づけています。④軍のトップも兼務しています。【116、118ページ】

問2 ④

「一帯一路」は古代の交易路「シルクロード」にちなみ、中国から欧州を陸路と海路でつなぐ巨大経済圏構想です。中国は巨額の資金力で沿線国に直接投資し、鉄道や港湾などインフラ建設を推進してきましたが、近年は中国への借金返済に窮する途上国もあります。【116ページ】

問3 ②

こうした考え方は「一つの中国」と呼ばれます。①戦略的互恵関係は、日中関係の基本的な考え方です。③台湾は以前、国連に加盟していましたが、1971年に中国の加盟が認められると同時に脱退を余儀なくされ、今も非加盟です。④台湾ではなく「香港」です。【117、118ページ】

問4 ②

Ａ：新疆ウイグル自治区などに住むウイグル族は多くがイスラム教徒（Ｂ）です。新疆ウイグル自治区では、中国政府による「テロ対策」を名目としたウイグル族への厳しい取り締まりや、「再教育施設」への強制収容などが問題視されてきました。国連は2022年、「深刻な人権侵害が行われてきた」とする報告書を公表しましたが、中国は「でっちあげだ」と激しく反論しています。クルド人は、トルコ、シリア、イラク、イランなどにまたがって暮らす人々で、「国を持たない最大の民族」と呼ばれます。イラクに事実上の「自治区」があります。クルド人はそれぞれの国で少数民族となり、たびたび弾圧されてきました。【118、134ページ】

問5 ②

①総人口は約6.8億人で、中国（約14.1億人）の半分程度です（2022年）。③除名していません。国軍は2021年にクーデターを起こし、事実上の国のトップだったアウンサンスーチー氏を拘束しました。ＡＳＥＡＮは仲介を試みていますが、進展していません。④既にＥＰＡが結ばれています（2008年から順次発効）。【119ページ】

■ その他のテーマ
（問題→37ページ）

問1 ④

特にインドは、グローバルサウスの「盟主」を自任しています。グローバルサウスは主に南半球に位置する新興国・途上国を指す言葉で、「経済連携協定」のような正式な国家・地域同士の枠組みではありません（①）。そのため、国際社会での立ち位置も国によって異なり、グローバルサウス全体での明確な方針はありません（②）。ただし、米国、中国、ロシアといったいずれの大国とも距離を置き、独自の外交を展開する動きが目立ちます。③豊かな先進国ではなく新興国・途上国が中心で、貧困や飢餓に苦しむ国や独裁体制をとる国も含まれるとされます。【117、119ページ】

問2 ①

ＥＵは同条約の発効により1993年、発足しました。②経済統合が先です。③離脱したのは英国（2020年）が初めてです。④全27カ国中、共通通貨ユーロを導入している20カ国（2024年1月時点）の金融政策はＥＣＢが担いますが、非導入国は各国の中央銀行が担います。【121ページ】

問3 ②

ただ、ロシアは2014年、ウクライナ南部クリミア半島を一方的に併合したことでＧ8から排除されました。①プラザ合意（1985年）ではなく、第1次石油危機（1973年）です。③東京以外でも複数回開かれ、2023年は広島でした。④Ｇ7には含まれません。【112、136ページ】

問4 ①

バイデン政権の外交・安全保障政策の指針となる国家安全保障戦略は、中国を中長期的な最大の競争相手と位置づけ、対決姿勢を強めました。一方、ウクライナへの侵攻を続けるロシアを目先の直接的な脅威として「抑え込む」方針を示しました。【117ページ】

問5 ③

環境保護や人権尊重と両立する、持続可能な経済成長を目指しています。関連する目標には例えば、目標8「働きがいも経済成長も」があります。①②ＳＤＧｓは途上国だけでなく先進国も対象とする、2030年までの目標です。④罰則はありませんが、達成に向けた道義的責任はあります。【6ページ】

問6 ②

ＩＣＤは病気などを巡る社会観念にも影響します。例えば、性同一性障害（性別不合）は精神疾患の分類から外れたことで「精神の病」ではないという認識が広まる一方、「ゲーム障害」が分類に加わったことで対策の必要性が意識されています。①がんや肥満対策なども担います。③勧告は出しますが、それ以上の強い権限はありません。④事実ではありません。【137ページ】

読解・活用問題

1 気候変動対策の「正義」「公平性」

問1 ④

Ⅰ：ハルさんの「同世代の一人として」という言葉から、Cです。Ⅱ：途上国間の違いについて語っているため、Aです。Ⅲ：「先進国で経済的に困窮していない」という立場は、気候変動の影響が比較的小さく、より重い責任を負っていると会話全体から読み取れるため、Bです。

問2 ②

ア：温室効果ガスの総排出量世界1位は中国、2位が米国、3位がインドです（2020年）。イ：パリ協定は地球温暖化対策の国際ルールで、2020年に本格運用が開始されました。ラムサール条約は、主に水鳥の生息地として国際的に重要な湿地の保全を目的とする条約です。

問3 ②

「影響を最も大きく受けるグループ」が右上に位置する時、Xには「影響をより大きく受ける層」が当てはまります。会話によると、①③④はいずれも影響がより少ないと読み取れるため②です。Y：途上国と対置される先進国（③）、Z：将来世代と対置される先行世代（①）が当てはまります。

2 ネットと「表現の自由」を考える

問1 ①

A：厳罰化に肯定的で、事業者の積極対応には触れていないためⅠ▽B：厳罰化と積極対応の両方の必要性を述べているためⅡ▽C：厳罰化の是非には触れておらず、積極対応には肯定的であるためⅢ▽D：厳罰化を懸念する一方、積極対応には触れていないためⅣ——が当てはまります。

3 カーブに表れる働き方

問1 ②

A：女性の労働力率はかつて、妊娠・子育ての時期に低下するM字カーブを描いていました。B：正規雇用率の低下＝非正規雇用率の上昇という関係にあります。分母は「雇用者（役員を除く）」なので、妊娠・子育てを機に退職して、その後も仕事に就いていない人は計算に含まれません。

問2 ②

W：仮説1、Y：仮説3、Z：仮説2を検証するのに適切な統計調査です。復職後も正規雇用で働き続けられるように、夫が家事、育児に充てる時間を増やす、育児中の社員が柔軟に働ける制度を整備することなどが求められます。X：仮説1～3を検証するのに直接関係のない調査です。

4 「たばこ税」とマナーの関係

問1 ③

A：ハナさんは冒頭で「本当に喫煙者にしかメリットがないのかな」と問いかけ、喫煙所を増やすことに疑問を抱くミユさん、アオさんとは異なる立場で意見を言おうとしていると分かります。B：ⅳはたばこ税とその使い道に関する正しい記述ですが、この文脈でより適切なのはⅲです。

5 IT社会の個人情報

問1 ④

外したい人はⅣで81％に上るのに対して、外す設定を知っている人はⅤで33％にとどまります。①Ⅰで「許容できる」「どちらかというと許容できる」と答えた人は半数にも達していません。②Ⅱで「プライバシーの侵害と感じる」と答えたのは「全回答者の6割以上」にはなりません。Ⅰで「許容できない」などと答えた人（全回答者の3割）だけに、その理由を尋ねた結果だからです。③Ⅲで75％が個人情報の収集に同意する認識を持っています。

2 級

基本問題

政 治
各問題の解説末尾の【●ジ】は、公式テキストの参照ページを示しています

1 私たちの民主主義
(問題→46ページ)

問1 ①

②こうした配分方法は、過去に小選挙区の定数配分で用いられた「1人別枠方式」です。1人別枠方式と比べてアダムズ方式は、より人口比を反映しやすいとされます。③縮まりました。導入前の2013年参院選は最大4.77倍でしたが、導入直後の2016年参院選は最大3.08倍でした。④合区の導入以降はいずれの選挙も「合憲」と判断しています。【9、11ジ】

問2 ④

選挙を「無効」とすることによる影響の大きさを考慮して、違憲・違法な選挙でも「無効」の訴えを退けることができる、という考え方です。①～③こうした考え方ではありません。③は「合憲」を「違憲状態」とすれば「違憲状態」についての正しい説明になります。【133ジ】

問3 ②

衆議院では土井たか子氏（1993～96年）、参議院では扇千景氏（2004～07年）と山東昭子氏（2019～22年）の例があります。①「女性議員の誕生」は戦後、日本国憲法施行（1947年5月）前に実施された衆議院議員選挙（1946年4月）を受けてのことです。③この法律は政党などに自主的な努力を求めるにとどまり、罰則はありません。国政選挙だけでなく地方選挙（首長選挙を除く）も対象です。④候補者や議席の「一定数」を女性に割り当てる制度のことで、「4分の1」とは決まっていません。「クオータ」とは「割り当て」という意味です。【8ジ】

問4 ③

A：自動的には登録されません。転出の前または後に、在外選挙人名簿への登録申請などの手続きが必要です。その後、在外選挙人証が交付された人のみが投票できます。B：地方選挙の投票権はありません。【9ジ】

問5 ②

政党名や候補者名が書かれた票の合計はX党が400万、Y党が200万です。ドント式で計算するとX党に4議席、Y党に2議席が割り当てられます。得票数が多い候補者から順番に当選しますが、Jは特定枠の候補者のため、得票数が少なくても優先的に当選します。【10、11ジ】

2 日本政治の現在地
(問題→47ページ)

問1 ④

月100万円支給されます。使途を明らかにする必要がなく、この点を問題視して「公開を義務化すべきだ」と主張する意見もあります。①共産党は要件を満たしますが、制度に反対し、受け取っていません。②「政党や政党支部」と「政治家個人」を逆にすれば正しい説明になります。③連座制は公職選挙法には規定されていますが、政治資金規正法には規定されていません。

問2 ①

デジタル庁は首相をトップとする内閣直轄の機関で、他省庁への「勧告権」など強い権限があります。②外国籍の人を含め、住民票がある全ての人に取得を促しています。③2024年度末までに一体化する予定ですが、マイナカードを持たない人には運転免許証の交付を続ける方針です。④システム統一化を断念したことはありません。2025年度末までを目標に進めています。【13ジ】

問3 ④

こうした決まりはありません。①条文（憲法53条）に期限の定めはなく、いつ召集するかは内閣が判断することになっています。③ただし、所定の手続きを経れば次の会期に持ち越すことができます。【14ジ】

問4 ①

行政が扱う事柄が高度化、複雑化し、ビューロクラシー（官僚制）が成立しました。選挙で選ばれたわけではない官僚が大きな権限を持つ「肥大化」が問題点として指摘されます。A：閣法は内閣が国会に提出した法案です。B：レファレンダムは国民投票や住民投票のような、有権者の投票による政策決定のことです。

問5 ③

村山富市内閣（1994～96年）の例があります（新党さきがけを含む3党で連立）。①社会党の再統一と自民党結党がきっかけです。②導入前です。④2009年の政権発足時は両議院で与党が多数派でした。2010年に参議院議員選挙で過半数を割り「ねじれ」となりました。2012年に復活した自民党と公明党の連立政権も、当初は参議院で少数派でした。【15ジ】

3 日本国憲法の行方
(問題→48ページ)

問1 ③

①②④に「テロ・内乱」を加えた四つの事態とこれらに匹敵する事態を「緊急事態」と位置づけ、国会議員の任期延長などの措置を検討しています。【16ジ】

問2 ②

①事実ではありません。③定めていません。ただし有料広告（現在はテレビ・ラジオCMのみ投票日の14日前から禁止）や運動資金の規制について、施行後3年を目

安に「必要な措置を講ずる」とされています。④2021年より前の法改正で「18歳以上」に引き下げられました。【18㌻】

問3 ②

改憲4項目は②に加え、自衛隊の明記▽緊急事態条項の創設▽教育の充実を図る——の四つです。【17㌻】

問4 ③

有識者会議は皇室典範特例法（2017年成立）の付帯決議を踏まえて設置されました。この決議は安定的な皇位継承などについて速やかに検討するよう政府に求めていました。しかし、有識者会議はこうした観点からの議論は先送りしました。男系男子による皇位継承を重視する保守派に配慮したとみられます。【19㌻】

問5 ④

憲法9条1項に違反すると判断しました。原告の損害賠償請求は棄却されたため、勝訴となった国側は上告できず、違憲判決が確定しました（2008年）。①「統治行為論」です。「一事不再理」は、有罪や無罪判決が確定した行為について、再び刑事責任を追及しないという刑事裁判の原則です。②統治行為論に基づき、日米安全保障条約について「高度の政治性があり、司法審査の範囲外」として憲法判断を避けました（1959年）。③「自衛隊は『戦力』に当たり違憲」と判断しました（1973年）が、2審は地裁判決を取り消して憲法判断を回避し、上告も退けられました（1982年）。【19㌻】

問6 ③

B：判例では、多様な情報を自由に入手する権利が憲法21条から導かれるとされます。特定秘密保護法にも明記されています。C：判例上、憲法13条の一部として認められます。A：判例で認められておらず法律にも明記されていません。D：意見発表の場を個人がマスメディアに求める権利です。【17㌻】

④ 日本外交の針路は
(問題→49ページ)

問1 ①

クアッドは、インド太平洋地域でのインフラ支援やサプライチェーン（供給網）など幅広い分野での連携強化を図る枠組みです。クアッドなどを通じて日本や米国は、インドとの結びつきを強めようとしています。インドは「グローバルサウス」と呼ばれる新興国・途上国の代表格で、国際社会での存在感を増しつつあるからです。Bには③が当てはまります。また、Cには米英豪の安全保障枠組みである②が当てはまります。④は日本や中国などが加盟する経済連携協定（ＥＰＡ）です。【21、47㌻】

問2 ④

A：旧条約（1951年署名）には明記されていませんでした。これを明文化したのが新条約（1960年改定）です。B：ガイドラインは、自衛隊と米軍の役割分担を規定し

たものです。1978年に策定され、1997年と2015年の2度、改定されています。C：米国は日本に対して、通常戦力に加え、核兵器による拡大抑止（核の傘）を約束しています。【20㌻】

問3 ②

A：「シベリア抑留」と呼ばれます。約60万人が連行され、5万人以上が死亡しました。D：ウクライナ侵攻を受けて経済制裁を科した日本の対応に、ロシアが反発した格好です。2020年度以降は新型コロナウイルスの感染拡大の影響で中止されていました。B：正しくは「歯舞群島と色丹島」です。宣言の中で、国後島と択捉島には言及されていません。C：サハリン1、2はロシア極東サハリンでの事業です。日本政府や企業が出資し、日本はここで生産される原油や天然ガスを輸入しています。【22、23㌻】

問4 ④

日本政府は「韓国による占拠は不法だ」との立場を取り（ア）、国際司法裁判所（ＩＣＪ）への共同付託を韓国政府に提案したことがあります（イ、ウ）。しかし、韓国側は拒否し、審理には至っていません（エ）。ＩＣＪでの裁判開始には、紛争の両当事国が合意して共同付託するか、原告の単独提訴を受けて被告が同意することが必要だからです。ちなみに、ＩＣＪが国同士の争い（領土問題など）のみを扱うのに対して、ＩＣＣは個人（例えば戦争犯罪を行った国家指導者）を裁きます。【23、135㌻】

⑤ 大転換の防衛政策
(問題→50ページ)

問1 ②

A：自衛隊は1954年に発足しました。C：中曽根康弘内閣が1987年度の予算編成時、三木武夫内閣による「ＧＮＰ比1％枠」（1976年閣議決定、カ＝B）を撤廃しました。F：岸田文雄内閣が2022年、厳しさを増す安全保障環境を背景に、防衛費の大幅増額を決めました。なお、D（1992年）にはウ、E（2015年）にはイが当てはまります。【24、31、132㌻】

問2 ③

ただし、政府は「着手」の定義を明確にしていません。また、相手国が「着手」したかどうかを確実に判断するのは難しく、国際法が禁じる先制攻撃になりかねない、との指摘もあります。①憲法解釈を変えてはいません。歴代内閣は敵基地攻撃について、「攻撃を防ぐため他に手段がない場合に限り、憲法上許される」との見解を示してきました。②武力行使の3要件は、安倍晋三内閣時代の2014年に既に閣議決定されています。政府は、反撃能力を行使する基準として3要件を用いるとしています。④イージス艦などによる防衛態勢が既にあります。【25、139㌻】

問3 ④

防衛白書は防衛省や自衛隊の活動をまとめたもので、年1回発行されます。①外交・防衛政策の基本方針、②防衛の目標と、目標達成のための手段を示したもの、③保有すべき防衛力の水準（自衛隊の編成や主要装備の数量など）を具体的に示し、整備計画を定めたもの──です。【24㌻】

問4 ③

A：沖縄戦で、一般住民は9万4000人、米軍を含む全体では20万人以上が亡くなったと推計されます。家族や住民同士が手をかけ合う「集団自決」も起きました。D：普天間問題を巡り、辺野古沿岸部埋め立ての賛否を問う県民投票が2019年、実施されました。結果は有効投票の7割超が「反対」票でした。B：講和条約発効（1952年）後も沖縄は米国の施政下に残り、本土に復帰したのは1972年でした。C：仲井真弘多氏が2013年、辺野古の埋め立てを国に対して承認しました。その後の翁長雄志氏と玉城デニー氏は、辺野古移設に反対の立場を取り、国との対立が続いています。【25㌻】

6 地方自治のいま
（問題→51ページ）

問1 ②

①消滅可能性都市を「過疎地域」とすれば正しい説明になります。人口と財政力の基準に該当する自治体が、過疎法に基づいて指定されます。消滅可能性都市は、民間の有識者会議が2014年に提唱した概念です。20～39歳（出産の中心となる年代）の女性の人数が2040年に、2010年の半分以下に減ると予想される自治体を指します。③地方創生は、安倍晋三内閣が「消滅可能性都市」リポートを受けて打ち出しました。岸田内閣はデジタル田園都市国家構想を掲げています。④こうした構想はありましたが、結局、全面移転は文化庁だけで、消費者庁も一部移転にとどまりました。【26、29、31、136㌻】

問2 ④

関係人口とは、移住こそしないものの、愛着を持つ特定の地方自治体に継続的に関わり続ける人を指します。①②のような一過性の関わりによる「交流人口」や、③の「定住人口」とは区別されます。政府の調査によると2022年度、1300超の自治体が関係人口の創出・拡大に取り組んでいました。【27㌻】

問3 ②

①地方自治の本旨は「団体自治」と「住民自治」から成ると解釈されていますが、憲法に明記されてはいません。③④「住民自治」の例です。【28㌻】

問4 ①

議会の解散や首長の辞職などで任期終了がずれ、選挙の時期が分散したためです。②認められていません。ちなみに、条例に基づく住民投票では、投票が認められている地方自治体もあります。③議員や副知事なども対象です。④憲法や法律に基づく投票の結果には法的拘束力がありますが、条例に基づく投票では多くの場合、結果に従う義務はないとされます。【26、28㌻】

問5 ④

C：流出分の一定割合は地方交付税によって補填されます。ただし、財源が比較的豊かで地方交付税が交付されない「不交付団体」はこの措置の対象外です。D：三位一体改革は小泉純一郎内閣が打ち出しました。しかし、多くの自治体は地方交付税が削減された影響で財政状況が厳しくなりました。A：約3割です。B：「全て」ではなく、例えば東京都には交付されていません。【27、29㌻】

■ その他のテーマ
（問題→52ページ）

問1 ①

憲法7条で「内閣の助言と承認」に基づく天皇の国事行為の一つとして「衆議院を解散すること」が挙げられています。ここから、「天皇に助言する内閣の首長（首相）に解散権がある」という解釈に基づく運用がなされています。④「69条解散」の根拠規定です。【17㌻】

問2 ④

戦略的互恵関係とは、「互いの立場が違っていても、地域の安全保障や国際的な諸課題（経済、環境、エネルギーなど）について共通の利益を求め、日中関係を発展させていこう」という考え方です。Aには③、Bには①、Cには②──がそれぞれ当てはまります。【21、30㌻】

問3 ②

国連海洋法条約で認められています。①沿岸国の平和や安全を脅かさなければ通れる（無害通航権）、と同条約で規定されています。③領土問題の凍結（領土問題は未解決のまま、ひとまず領有権の主張をやめること）が、南極条約で定められています。④宇宙（一般に大気圏外）の領有権は、宇宙条約で否定されています。

問4 ①

改正水道法（2019年施行）で導入された「コンセッション方式」と呼ばれる仕組みです。こうした仕組みは空港でも導入例があります。②事実ではありません。実際には、一定の基準に該当する路線について、沿線自治体や鉄道事業者からの要請があった場合、国が3者による協議会を設置して路線の存廃を話し合う、という仕組みを導入しました（2023年）。③公共交通機関のほうが重視されます。④現在の大規模小売店舗立地法（2000年施行）により、大規模店の出店規制は「緩和」されました。シャッター通りが増えた一因だ、との指摘があります。【135㌻】

経済

各問題の解説末尾の【●㌻】は、公式テキストの参照ページを示しています

⑦ 足踏みする日本経済

(問題→53ページ)

問1 ③

GDPは「国内」で生み出された付加価値の合計であるため、輸入額はGDPの計算上、差し引く必要があります。①5割以上です。②これは「国外」で生み出された付加価値であるため、算入されません。④輸入額が増える＝GDPの計算において差し引く額が増えるということになるため、GDPを「押し下げる」方向に作用します。【34㌻】

問2 ①

景気停滞を意味する「スタグネーション」と、物価上昇を意味する「インフレーション」を合わせた造語です。②実質が名目を上回ります。③これはコストプッシュ・インフレの説明です。デマンドプル・インフレは、好況時に需要が供給を上回って起こる物価上昇を指します。④唯一の指標ではありません。むしろ価格の変動が大きい生鮮食品を除いた指数が主に使われます。【34㌻】

問3 ②

①年8回開かれます（各回2日間）。③財務相は会合に出席できますが、議決に加わることはできません。④議事録の公開は日銀法で義務づけられています。会合の10年後、半年分ずつ取りまとめて年2回公開されます。要旨は会合の約1カ月後に公表されます。【35㌻】

問4 ③

A：前任の黒田東彦総裁時のできごとです（2016年）。B：植田総裁就任後初めての金融政策決定会合（2023年4月）で、レビューへの着手が決まりました。約25年にわたって続く緩和策の効果と副作用を点検するとしています。C：「拡大」することを決めました。【33、35㌻】

問5 ①

これは「新自由主義」の考え方です。新しい資本主義は、従来の新自由主義的な経済政策が格差や貧困などの問題を悪化させたとの指摘を踏まえ、経済成長の果実が一部に偏らないよう、「成長と分配」を重視する考え方です。これを実行するための②〜④のような具体策が、「実行計画」に盛り込まれています。【56、132、137㌻】

⑧ 借金頼みの財政

(問題→54ページ)

問1 ③

昨今の物価高への対応策の一つです。2024年6月から、納税者本人（年収2000万円超の高所得者を除く）と扶養家族に対し、1人当たり4万円（所得税3万円＋住民税1万円）を減税します。①総額は112兆5717億円で、前年度当初予算から1兆8095億円減りました。新規国債発行額も35兆4490億円と、前年度から1740億円減り

ました。②約3割です。④明記されませんでした。前回の大綱（2022年末閣議決定）では、増税開始は「2024年以降の適切な時期」と記されていましたが、増税開始時期の決定は先送りされた形です。【36、37㌻】

問2 ②

A：PBは、政策経費を借金に頼らずに（税収と税外収入で）どの程度賄えているかを示す財政健全化の指標です。このため、借金に頼るほど赤字は大きくなります。B：事実ではありません。2025年度までの黒字化を目指していますが、最新の政府の試算（2024年1月）では、国と地方の黒字化達成時期は2026年度の見通しです。C：PBは「国債費−新規国債発行額」で求めます。この設問では、8兆4400億円の赤字です。【37㌻】

問3 ③

原則1年限りですが、近年は特例公債法の改正によって一定期間、新たな立法なしに赤字国債の発行を可能としています。②財政法4条で認められているためです。④財政法上は原則禁止ですが、特別の理由がある場合、国会の議決を経た金額の範囲内で認められます（5条）。【38㌻】

問4 ①

所得格差を是正する方向に働くからです。②所得のうち税務署が把握している割合が、サラリーマン（9割）、自営業者（6割）、農家（4割）と、業種により異なる状態を象徴する言葉です。③低くなってきました。④政府が社会・経済情勢の変化に応じて毎年改めます。【39㌻】

問5 ②

①竹下登内閣の時です。③2019年10月に消費税率が8％から10％に引き上げられたことに伴い、2020年度から消費税収がトップです。次いで所得税収、法人税収の順です。④インボイス（適格請求書）は、商品ごとの税率・税額を記した「請求書」のことです。事業者間の取引において買い手がインボイスの発行を求めた場合、売り手は交付する義務があります。【39㌻】

⑨ 混迷する世界経済

(問題→55ページ)

問1 ①

ⅱ：中国、ⅲ：米国——です。新型コロナウイルスが世界的に流行した2020年に、中国は主要国の中で唯一プラス成長を維持した▽米国はコロナ禍の2020年にマイナス成長に陥ったが、2021年に景気が急回復した▽日本は他3カ国と比べて低成長だ——ということが分かれば、正解が導けます。【40㌻】

問2 ③

B：ユーロ圏の2023年の実質GDP成長率は0.5％増（速報値）と、2022年の3.5％増と比べて落ち込みました。C：ほかにも若年層の失業率の高さや、賃金の伸び悩みなどを背景に消費が冷え込むなど、中国経済に陰りが出

ています。A：「重くなる」方向です。自国通貨の対ドル相場が下落し、利払いが膨らむためです。【40、41、116ページ】

問3 ②

A：ダイベストメントは気候変動対策などに逆行する事業から投資を引き揚げる動きです。B：広島市で2023年に開かれた主要7カ国首脳会議（G7サミット）の首脳宣言に、中国との関係について「デリスキング（リスク低減）」が用いられました。気候変動問題での協調や通常の経済活動の維持など、安全保障に関わらない分野では安定した関係を保ちつつ、中国への過度な経済的依存度を下げることを目指すものです。プライマリーバランスは、基礎的財政収支のことです。【37、40ページ】

問4 ③

自己資本比率が低すぎると、投機的資金の影響を受けやすくなります。このため、比率を一定以上にするよう金融機関に求める国際ルールがあり、一般に「BIS（国際決済銀行）規制」と呼ばれます。①②④新型コロナウイルス危機を受けて、実際に実施されました。【42ページ】

問5 ④

B：多国籍企業が低税率国に支店などを置いて利益を移し、課税を逃れる例があったためです。最低税率は15％としました。C：従来は、その企業の拠点が国内になければ課税できませんでした。A：事実ではありません。ちなみに、国境炭素税は欧州連合（EU）が2026年から本格導入します。【43ページ】

10 揺らぐ自由貿易体制
（問題→56ページ）

問1 ③

①米国が交渉途中で離脱したのは事実ですが、中国は交渉参加国ではありません。②含まれません。重要5項目は、コメ、麦、牛・豚肉、乳製品、甘味資源作物（サトウキビなど）です。④これは中国です。インドは新規参加を申請していません（2023年末時点）。【44、47ページ】

問2 ③

14カ国が参加する「インド太平洋経済枠組み」です。①中国の主導で設立された「アジアインフラ投資銀行」です。②米英豪による安全保障の枠組みです。④北米自由貿易協定（ＮＡＦＴＡ）に代わる新協定として、当時のトランプ米政権がとりまとめた「米国・メキシコ・カナダ協定」（2020年発効）です。【45、47、106、116ページ】

問3 ①

B：いずれも増える可能性があります。TPPには、英国の参加が決まった（2023年）ほか、中国、台湾などが新規参加を申請しています（2023年末時点）。C：TPPとRCEPだけに該当します。D：こうした「地理的表示（GI）」を保護するルールは、日欧EPAだけに含まれます。【44、47、137ページ】

問4 ②

これはブレトンウッズ体制が構築される前のできごとです。1929年に始まった世界恐慌を機に世界でこうした動きが強まった結果、第二次世界大戦の誘因となりました。この反省から、自由貿易の推進と、それを支える為替の安定を目指して米英などの連合国が1944年、ブレトンウッズ協定を結びました。①「金・ドル本位制」とは、米ドルを基軸通貨とし、金1オンス当たり35ドルと定め、米国以外の国は自国の通貨をドルに対して固定する（日本は1ドル＝360円）通貨体制のことです（1973年から変動相場制へ移行）。【46ページ】

問5 ①

最恵国待遇はある国に与える有利な待遇を他の加盟国にも与える原則、内国民待遇は関税以外では輸入品と国産品を同等に扱う原則で、関税貿易一般協定（ＧＡＴＴ）から引き継ぎました。②全会一致が原則です。③認められています。④委員不足は解消されておらず、欧州連合（EU）や中国などの有志国・地域が2020年に設立した代替枠組み（日本も2023年に参加を決定）は、廃止されていません。【46ページ】

11 日本産業のいま
（問題→57ページ）

問1 ③

A：物流の2024年問題は、トラック運転手に残業時間の上限規制が適用される（年960時間、2024年4月から）ことによって1人の運転手が運べる荷物の量が減り、物流の滞りが懸念される問題のことです。B：政府はこのほか、宅配便の再配達件数を半減させるため、玄関前に荷物を置く「置き配」を選んだ人にポイントを付与するなどの緊急対策を2023年10月にまとめました。【51ページ】

問2 ④

特許の出願情報は、第三者が重複して同じ研究をする無駄をなくすため、一定期間後に公開されます。これに対し、経済安全保障推進法（2022年成立）は、軍事技術などの出願情報が海外に流出するのを防ぐため非公開にできる特例制度の新設を定めました。【49ページ】

問3 ①

現在の達成年限は2030年度です。②過去最高を更新した2023年で1兆4547億円です。政府は、2030年に5兆円に引き上げる目標を掲げています。③農林漁業者が生産だけでなく加工、流通も手がけることです。④ブランド農産物の種や苗木を国内の開発者に無断で海外に持ち出すことが、新たに禁じられました。【50、57、140ページ】

問4 ①

A：2011年に開かれた国連人権理事会で、「ビジネスと人権に関する指導原則」が承認されたことも背景にあります。C：事実ではありません。経済産業省が2022

年、国内企業に対して「人権ＤＤ」の実施などを求める
ガイドラインを策定しましたが、法的拘束力はなく、従
わなくても罰則はありません。【50ㇷ゚】

問5 ②

全固体電池をＥＶに搭載すると、現在主流になってい
るリチウムイオン電池よりも航続距離を長くでき、充電
時間も大幅に短縮できるとされます。①現在認められて
いるのは、最高ランクの一歩手前（レベル４）の公道走
行です。改正道路交通法の施行（2023年４月）によって
可能になりました。③ゼロエミッション車は、走行中に
二酸化炭素（ＣＯ₂）を排出しない車のことで、ここ５年
間（2019～23年）の販売台数はおおむね増えています。
④事実ではありません。【51、57ㇷ゚】

⑫ 脱炭素社会への道のり
（問題→58ページ）

問1 ③

「カーボンリサイクル」です。回収したＣＯ₂をコンク
リートや化学品などさまざまな製品や燃料に再利用し、
ＣＯ₂の排出を抑える新技術です。カーボンフットプリ
ントは、製品の全工程（原材料の調達から、生産、使
用、製品の廃棄まで）から出る温室効果ガスの量をＣＯ₂
に換算し、表示する取り組みのことです。【52、54ㇷ゚】

問2 ②

「グリーントランスフォーメーション（ＧＸ）実現に向
けた基本方針」（2023年閣議決定）に明記されました。①
安全審査などで長期停止した期間を運転期間から除くこ
ととしました。改正関連法が2023年５月に成立しまし
た。③政府が核燃料サイクル政策の断念を表明したこと
はありません（2023年末時点）。④道内の寿都町、神恵
内村で第１段階の選定調査をしてきた事実はあります
が、決定には程遠い状況です。【52、53、55ㇷ゚】

問3 ②

Ａ：逆に、排出量が上限未満の企業は、上限を超えた
企業に排出枠を売ることができます。Ｂ：事実ではあり
ません。脱炭素社会の実現に向けて民間投資を拡大する
ために制定された「ＧＸ推進法」（2023年５月成立）には、
カーボンプライシングの本格化が明記されました。既に
排出量取引市場（ＧＸリーグ）のテスト運用が2022年か
ら始まっており、有志企業が参加しています。【53ㇷ゚】

問4 ④

世界で「脱石炭」が進む中、日本は石炭火力発電を使
い続ける代わりに、ゼロエミッション火力を推進すると
して、研究開発を進めています。ほかに、天然ガスに
「水素」を混ぜる方法もあります。①天然ガスです。②
オーストラリアです。Ｂにインドネシアが当てはまりま
す。③旧式の発電所の大半を2030年度までに休廃止す
ることを、2020年に決めています。一方、発電効率が高
い新式の発電所は今後も使う方針です。【52、54、57ㇷ゚】

問5 ①

原子力に頼らないエネルギー構成を実現するため、
2012年に導入されました。②③賦課金の総額は膨らみ、
消費者の負担が増しています。このため、政府は電力会
社が買い取る価格を段階的に引き下げてきました。④事
実ではありません。【55ㇷ゚】

⬛ その他のテーマ
（問題→59ページ）

問1 ②

Ａ：日本は1968年以降、資本主義国としては世界２位
の地位を維持してきました（1968年当時、社会主義国で
は経済規模を測る指標として、資本主義国とは異なる方
式を採用）が、2010年に中国に抜かれました。Ｃ：2023
年の名目ＧＤＰ（速報値）は591兆4820億円と、円ベー
スの金額では過去最高額でした。Ｂ：1990年代前後に上
位３カ国に入っていた時期はありますが、近年は20位
以下に沈んでいます。【34ㇷ゚】

問2 ③

岸田内閣が掲げる「貯蓄から投資へ」を促す（②）ため
の拡充策の一つです。①「現金・預金」（52.5％）です。保
険・年金などは25.4％です（2023年９月末時点、速報
値）。④2022年に加入可能年齢が60歳未満から65歳未
満に広がりましたが、撤廃はされていません。【56ㇷ゚】

問3 ④

①共通原則を2021年にまとめたのは事実ですが、Ｃ
ＢＤＣの発行時期に関する合意はしていません。②ＦＲ
ＢはＣＢＤＣを発行していません。ＣＢＤＣを初めて発
行したのは、バハマの中銀です（2020年）。③事実では
ありません。日銀は「現時点で発行する計画はない」と
する立場をとる一方、将来的なニーズに備えるため、
2021年に始めたデジタル円の実証実験を継続していま
す（2023年末時点）。【43、137ㇷ゚】

問4 ①

②交渉をとりまとめたのは中国です。米国はＲＣＥＰ
協定に参加していません。③交渉途中で離脱したのはイ
ンドで、ＡＳＥＡＮ加盟各国は参加しています。④関税
撤廃率は91％（全体平均）で、ＴＰＰの水準（日本は
95％、他の10カ国は99～100％）を下回りました。農業
が盛んな参加国が多く、農産品の撤廃率が限定的となっ
たためです。【47ㇷ゚】

問5 ④

優越的地位の乱用は、立場の強い企業がその地位を利
用し、取引先などに不公正な取引を強いることです。経
済のグローバル化に対応し、適用範囲を広げています。
①会社法で認められています。株価を引き上げる効果が
あるため、近年上場企業で活発化しています。②1997
年に解禁されました。③2005年の法改正で導入されま
した。

暮らし

各問題の解説末尾の【●ジ】は、公式テキストの参照ページを示しています

13 加速する人口減少

(問題→60ページ)

問1 ③

65歳以上人口が数％減の一方、生産年齢人口（15～64歳）は約40％減ります。①わずかに回復します。②約7割に減ります。④コロナ禍前の2016～19年の水準が当面続くと見込みます。その結果、2070年には外国人が総人口の約1割を占めると推測されます。【58、74ジ】

問2 ①

総人口は1億2495万人で、これに占める生産年齢人口の割合は59.4％（7421万人）です。②一般に21％超で「超高齢社会」といい、日本は2007年に既に超えています。2022年10月1日時点では29.0％です。③1億2203万人です。④新型コロナウイルスの感染拡大による入国制限があった時期を除き、おおむね社会増（入国者数が出国者数を上回ること）の状態です。「自然減」（死亡数が出生数を上回ること）は2007年以降、16年連続で続いています。【59、74ジ】

問3 ③

団塊ジュニア世代（1971～74年生まれ）の女性が30歳代になって相次いで出産したことが、主に影響したとみられます。①集計の対象となる15～49歳の女性の人口は減っています。②上昇しました。④合計特殊出生率とは直接関係ありません。ちなみにこの時期は低下しました。【61、74ジ】

問4 ④

団塊ジュニア世代はバブル経済崩壊後の「就職氷河期」に直面し、長年、無職や非正規雇用だった人が多いとされます。この世代が高齢で働けなくなれば、年金を十分に得られず、生活保護受給者が大幅に増え、社会保障制度が一層揺らぐと心配されることから「2040年問題」と言われます。③男女とも既に80歳を超えています。【58、60、61ジ】

問5 ②

例えばフランスは115年かかりましたが、日本は24年でした。①政策の廃止後も、少子化傾向に歯止めがかからず、2023年に世界一の座をインドに譲りました。③米国は世界3位です。力強い経済成長と、移民を積極的に受け入れる歴史を背景に、人口規模を維持しています。④国連は、2080年代にピークの104億人に達し、2100年までその水準が続くとみています。【61、74ジ】

14 社会保障のこれから

(問題→61ページ)

問1 ②

例えば、児童手当は第2子までの2～3倍にあたる月3万円を、所得制限なしに給付します。①人口増までは掲げていません。少子化のスピードが近年加速していることに危機感を示し、こうした少子化傾向の反転を掲げます。③「年収の壁問題」とは、配偶者に扶養されているパート従業員らの収入が一定額を超えると、社会保険料を納める必要が生じて手取り収入が減ってしまうことを表す言葉です。④事実ではありません。財源の一部として、公的医療保険に月500円程度を上乗せ徴収する「支援金制度」を始めます。全ての世代が子育て世帯を支える仕組みです。【62、63、74ジ】

問2 ④

生活保護を受給する約165万世帯のうち約91万世帯を高齢者世帯が占め、その大半は単身世帯です（2023年9月時点）。①かかりつけ医など地域医療の役割を重視する「病院から自宅へ」という考え方です。②一定の所得がある75歳以上に限られます。③高齢の親が、長期間ひきこもる子どもを支えることに伴う問題を指摘した言葉です。「80代の親と50代の子ども」という、この問題がみられる典型的な家族構成にちなみます。【62、65、74ジ】

問3 ①

受給開始時期を繰り上げる（65歳より早める）ほど毎月の受給額は低くなり、繰り下げる（遅らせる）ほど高くなります。②マクロ経済スライドは、年金財政の健全化のため、支給額の伸びを物価や賃金の伸びより低く抑える仕組みです。デフレーションの際は適用されませんが、2024年度は適用され、伸び率が抑えられました。③一定以上の従業員数の企業で働く人は加入します。④以前はこうした仕組みでしたが、「在職定時改定」（2022年導入）により、翌年から上乗せされます。【63、64ジ】

問4 ①

いわゆる「混合診療」で、保険診療部分も含めて自由診療として扱われます。②「選定療養費」を支払う必要があります。「かかりつけ医」との機能分担を進めるのが目的です。③全額自費です。ただし公的医療保険を財源に出産育児一時金が支給されます。④使い続けられます。ただし健康保険組合などへの届け出は必要です。

問5 ②

A：1961年→C：1973年→D：2000年→B：2008年――です。なお、Cは老人医療費の急増を招き、1983年に廃止されました。【64、65ジ】

15 変化する日本の働き方

(問題→62ページ)

問1 ②

発注者とフリーランス間の不公正な取引を是正するのが目的で、2024年秋ごろまでに施行されます。①「ジョブ型雇用」です。③前半は正しいです。東京都の1113円に対し最も低い岩手県は893円で、220円の差があります。④企業の義務は「希望者全員を65歳まで雇うこと」にとどまります。【66、67、135ジ】

問2 ③

働く人の生活時間や睡眠時間を確保し、過労死などを防ぐのが狙いです。働き方改革関連法（2018年成立）で事業主の努力義務になりました。一部の勤務医については2024年4月から義務づけられます。政府は2025年までに企業の導入率15%以上を目指していますが、2023年時点で6%にとどまっています。A：高度プロフェッショナル制度は、高収入で専門的な仕事につく人を労働時間規制から除外する制度です。【68㌻】

問3 ④

事実ではありません。そもそもフリーランスや自営業者は、法律に基づく育休を取得できません。政府は支援策として、国民年金の保険料を一定期間免除する措置を、2026年度中に始める方向です。①男性版産休では子の出生後8週間以内に最長4週間の休みが取れます。③企業側から従業員に意向を確認することで、取得のハードルを下げる狙いがあります。【62、69、133㌻】

問4 ①

女性に家事・育児負担が偏る現状や、正社員に長時間労働を求めがちな日本の企業風土から、女性は出産・育児で離職し、その後は「非正規雇用」となっている実態を示すグラフです。女性の折れ線が「L」を寝かせたような形であることから「L字カーブ」とも呼ばれます。なお縦軸の単位は％です。②女性は20代をピークに一度下がった後、子育てが一段落する40代にかけて再び上がります。グラフの形から「M字カーブ」と呼ばれます。最近は台形に近いです。③中高年で男女差は開きますが、女性のピークが20代ということはありません。④似たような曲線を描きますが、割合はもっと低いです。【69、75㌻】

16 豊かな消費を守る
（問題→63ページ）

問1 ②

A：広告主が対価を支払ったり投稿内容に関与したりして広告・宣伝を依頼しているケースでは、投稿者が「広告」「PR」などと明示する必要があります。C：欧米で先行して規制されてきました。D：違反した場合、規制・処罰の対象は事業者（広告主）のみで、投稿した個人は対象外とされています。【70㌻】

問2 ②

モノカルチャー経済は特定の1次産品の生産・輸出に頼る経済構造です。多くは途上国にみられ、自立的な経済成長の障壁とされます。③健康と環境を重視する生活様式です。④家畜を快適な環境下で飼育することによってストレスや疾病を減らす考え方です。【70㌻】

問3 ④

食品表示法に基づく食品表示基準の改正によるものです（2022年4月完全施行）。①消費期限は「食べても安全な期限」を意味します。「おいしく食べられる期限」

は「賞味期限」で、カップめんや缶詰に表示されます。②事業者と家庭からおおむね半分ずつ出されています。③卵、エビなど特定原材料8品目は表示義務があります。ただし、「コンタミ」（製造工程上の紛れ込み）がある可能性や、イカ、ゴマなど「特定原材料に準じる」とされる20品目は表示の「推奨」にとどまります。【71㌻】

問4 ③

B：2012年に設置されました。A：消費者保護基本法（1968年成立）の全面改正によって2004年、消費者基本法が成立しました。C：国民生活センターは1970年、消費者庁は2009年に設置されました。【73㌻】

問5 ③

契約者に商品を購入させ、「運用して利益を分配する」と約束してその商品を事業者が預かるのが、預託商法です（①）。②これは「送り付け商法」の別称です。預託商法は「オーナー商法」とも呼ばれます。④「預託法」があります。2022年の改正法施行で、預託商法自体が原則禁止となりました。【139㌻】

■ その他のテーマ
（問題→64ページ）

問1 ③

①初めて「生存権」を保障したのはドイツのワイマール憲法です。②「憲法の規定は政策の指針（プログラム）を示すにとどまる」と判断しました。1審で勝訴した原告は2審で敗訴後に亡くなりましたが、裁判を機に保護費が増額されるといった意義も指摘されます。④都道府県などが設置すると法律で定められています。

問2 ①

ハラスメント禁止条約は、職場でのハラスメントを全面的に禁じるもので、国際労働機関（ILO）が2019年に採択しました。日本は国内法にハラスメント行為の禁止規定がない（②）ため、批准は難しいのが現状です。③改正労働施策総合推進法（2022年4月全面施行）は、パワハラについては防止措置をとるよう企業に義務づけていますが、カスハラについては義務づけてはいません。④企業に義務づけています。【138㌻】

問3 ①

Aは②の機能性表示食品、Bは③の栄養機能食品で、トクホと合わせて保健機能食品といいます。②は2015年に加わりました。④の健康補助食品は、いわゆる健康食品の一つで、機能性を表示できません。

問4 ①

②家計の消費支出総額に占める食料費の割合を示しており、値が高いほど生活水準は低いとされます。③「相対的貧困率」です。絶対的貧困率は所得が最低水準額に満たない人の割合のことです。④国連開発計画（UNDP）が健康や教育、所得の側面から、世界各国の生活の質を算出します。【78、136㌻】

社会・環境

各問題の解説末尾の【●ジ】は、公式テキストの参照ページを示しています

17 子どもと教育のいま

（問題→65ページ）

問1 ②

その他にも、いじめの起こる場所は学校内外を問わないなど、幅広く定義しています。いじめを禁止する規定も設けています。①義務教育として認める法律はありません。③英語に限りません。教育課程の一部で紙の教科書に代えて使うことができます。紙の教科書による学習が難しい児童・生徒については、教育課程の全部で導入できます。④40人から段階的に引き下げ、2025年度までに全学年35人になります。【76、79ジ】

問2 ②

子どもが施策の当事者として意見を述べる機会を得ることは、法律が掲げる基本理念の一つです。①幼稚園は引き続き文科省が担当し、「幼保一元化」は実現していません。③わいせつ事件を起こした保育士の再登録を一定期間禁止する規定や、わいせつ行為で懲戒処分を受けた教員の免許再交付を厳格に審査する仕組みなどが既に存在します。しかし、子どもへの性犯罪が後を絶たないことから、政府は学校や保育所などに対し、職員を雇う際に性犯罪歴の照会を義務づけ、犯罪歴のある人を仕事に就かせないようにする新たな仕組みの導入を目指しています。④現行の民法では、離婚後は父母のどちらか一方が親権者となります（単独親権）。2024年1月、離婚後も父母双方が親権者となることを選べる「共同親権」の導入を含む民法改正の要綱案がまとまりました。今後国会で審議される予定です。【77、78、135、139ジ】

問3 ③

児童福祉法に、親が養育できない場合は里親などによる養育を優先することが明記されています。①「絶対的貧困」ではなく「相対的貧困」です。②ヤングケアラーとは一般に、大人が担うような家族のケアや介護を日常的に行っている子どもを指します。④普及を目指して対象年齢の上限を引き上げました。【78、136ジ】

問4 ①

こうした国際的な流れから、特別支援教育の「中止」が勧告されたこともありますが、政府は特別支援学校や特別支援学級など、多様な「学びの場」を用意して特別支援教育を進める立場で、在籍者数は年々増えています。③多様な視点を確保する狙いから、こうした「女子枠」を設ける大学が近年増えています。【79、133ジ】

18 共生社会への道のりは

（問題→66ページ）

問1 ③

過去には「合憲」と判断したこともありますが、2023年10月に裁判官15人の全員一致の判断として「違憲」と

する決定を出しました。①事実ではありません。2023年末までに出た五つの地方裁判所の判決は、いずれも国会に法整備の検討を促す内容でした。②トイレの使用制限を認めた人事院判定を違法と判断しました。④理念法で、罰則や禁止規定はありません。【80、81ジ】

問2 ④

3回目以降の難民申請時に可能となります。しかし、「生命が脅かされる国に送り返す危険がある」との批判も根強いです。①技能水準が高い人を対象とする特定技能2号は、在留期間に上限がありません。②難民と認められると原則として5年間、「定住者」の在留資格が与えられます。就労活動に制限はなく、国民年金などの受給資格も得られます。また、難民旅行証明書の交付を受けると、証明書の有効期限内は自由に出入国することができます。③事前審査する仕組みはありません。【81ジ】

問3 ③

各地の地方裁判所、高等裁判所で、国の責任を認める原告勝訴の判決が相次いでいます。①2014年に批准しました。②義務づけています。民間事業者にも義務づける改正法が2024年4月に施行されます。④障害の重さや働く時間に応じて算定します。2024年4月から、民間企業の法定雇用率は2.5％に引き上げられます。【82ジ】

問4 ④

①こうした措置を取ることを国の責務として明記しています。②2023年は146カ国中125位で、アジアの中でも中国やミャンマーなどより下位に沈んでいます。特に、政治、経済分野で評価が低くなっています。③多様化の視点からは「見直すべきだ」「廃止すべきだ」とされます。【82ジ】

問5 ④

A：最高裁は2015年と2021年、現在の夫婦制度について合憲判断を示しました。選択的夫婦別姓制度については2015年の判決で「合理性がないとは断じない」と言及しました。B：成立するとの判断を2021年に示しました。【82ジ】

19 司法と人権保障

（問題→67ページ）

問1 ②

A、B：憲法40条で「抑留または拘禁された後、無罪の裁判を受けたときは、国に補償を求めることができる」と定められています。これを具体化したのが刑事補償法です。C：国家賠償法に基づく損害賠償請求が認められるには、刑事手続きに違法性があったと裁判所が判断する必要があります。【84ジ】

問2 ②

以前は被害者が女性に限られていましたが、男性の被害も対象になりました（2017年改正）。①被害者の主張だけでなく、行為時の状況や両者の関係性も踏まえて、

同意の有無を判断します。2023年改正で、犯罪が成立する要件となる加害者の行為や被害者の状態が、具体的に盛り込まれました。③以前はこうした「親告罪」でしたが、現在は告訴が不要な「非親告罪」です（2017年改正）。④「18歳」を「16歳」とすれば正しい説明になります。2023年改正で、性交同意年齢が13歳から16歳に引き上げられました。【85ページ】

問3 ③

2022年施行の改正少年法で、18、19歳の少年は「特定少年」と位置づけられ、18歳未満よりも厳しく扱われるようになりました。B：特定少年の場合、放火や強盗なども対象です。C：18歳未満の実名報道は、引き続き禁じられています。A：特定少年を含めて全ての少年が家裁に送られます。D：改正前と同様に、18歳以上であれば死刑が科される可能性があります。【87ページ】

問4 ③

強制起訴制度は、検察官による不起訴処分を覆す仕組みです。起訴や犯罪の立証を検察官が担うのは不適切だと考えられるため、裁判所が「検察官役」として弁護士を指定します。①検察審査会が設置されたのは戦後間もない1948年です。強制起訴制度は2009年、裁判員制度と同時に導入されました。②この場合は強制起訴されません。検察審査会が第1段階の審査で「起訴相当」と議決する→検察官が再び不起訴にする→第2段階の審査で再び「起訴すべきだ」と判断（起訴議決）する──という流れで強制起訴に至ります。④大半は無罪です。2022年までに裁判が確定した11人のうち、有罪は2人にとどまります。【86ページ】

20 情報社会に生きる
（問題→68ページ）

問1 ②

ただし、利用の仕方によっては著作権を侵害する可能性もあります。①人間のように文章の意味・内容を理解しているわけではありません。大量のデータを事前に学習することで、ある単語の後ろにはどの単語が続く可能性が高いかを予測し、「もっともらしい」文章を作り出す仕組みです。③事実ではありません。日本は規制よりもむしろ活用に積極的な立場です。包括的な規制法を巡っては2023年末、欧州連合（EU）が最終案を決めました。2026年にも導入される見通しで、実現すれば世界初です。④こうした「自律型致死兵器システム（ＬＡＷＳ）」を規制する国際法はありません。【88〜90、136ページ】

問2 ④

例えば米アップルは「iPhone（アイフォーン）」の標準ブラウザー「Safari（サファリ）」で、3Ｃをデフォルト（初期設定）でブロックしています。①これは「アフィリエート広告」の説明です。ターゲティング広告は、年齢や性別などからネット利用者の興味や好みを分析し、それぞれに応じた広告を表示するものです。②主に問題視されているのは3Ｃです。利用者に無断で3Ｃが使われ、広告配信に利用されてきました。③これは欧州連合（EU）での扱いです。国内法では、これよりも緩い規制にとどまります。【89ページ】

問3 ④

ＧＤＰＲ（2018年施行）は個人データ保護のためのルールで、「世界一厳しい」ともいわれます。①インターネット上に残る、自分に関する不都合な情報の削除を求める権利のことです。選択肢のような権利は、プライバシー権として認められる場合があります。②どちらにも明記されていません。③事実ではありません。日本ではまだ法的に定着していません。【91、133ページ】

問4 ①

A：ビッグデータは、アルゴリズムで分析される閲覧履歴や個人情報などの膨大な量のデータのことです。B：本人が気づかないうちに自分好みの情報に囲まれ、それとは異質な情報から遮断されるため、多様な意見に触れる機会が減ると指摘されています。メディアスクラムは、事件・事故の当事者などに多数の報道関係者が殺到し、過剰な取材・報道をすることです。【91ページ】

21 いのちと科学を考える
（問題→69ページ）

問1 ③

B：従来の生ワクチンなどは「開発に10年程度かかる」とされています。一方、ｍＲＮＡを利用した新型コロナワクチンは、ウイルスが確認されてから1年ほどで実用化されました。C：一般にワクチン接種のほか、感染後に回復した人が増えることで、集団免疫の獲得が期待されます。A：増えました。5類移行（2023年）前は、発熱外来や指定医療機関に限られていました。D：天然痘ウイルスは人間だけに感染します。ワクチン接種（種痘）を世界中で進めたことで感染者が激減し、世界保健機関（ＷＨＯ）は1980年、根絶を宣言しました。人類が根絶させた感染症は今のところ天然痘のみです。【92、94、104ページ】

問2 ①

A：認知症施策を進めるための基本計画を策定する際に意見を聞くことが国に義務づけられ、地方自治体については努力義務とされました。B：記憶力や判断力を測る認知機能検査で「認知症の恐れがある」と判定され、医師に認知症と診断されると、免許の取り消しや停止になります。C：国内で初めて承認された「レカネマブ（商品名レケンビ）」は根治薬ではありません。期待されるのは病気の進行を遅らせる効果です。【93ページ】

問3 ④

がんの原因である遺伝子の変異がどこで起きているかを特定し、患者一人一人に合った治療薬を見つけます。

2019年には遺伝子検査が保険適用となり、2023年にはゲノム医療を推進するための「ゲノム医療法」が成立しました。①2003年に完了しています。②偶然性に頼る遺伝子組み換えと比べて、特定の遺伝子をピンポイントで狙えるゲノム編集のほうが、精度が高いです。③特定の遺伝子を壊して機能を失わせただけの食品は、国への届け出のみで販売できます。一方、外来の遺伝子を組み入れて新たな機能を持たせたものは、遺伝子組み換え食品と同様に、安全性の審査や表示が義務づけられています。【94、105、134ジ】

問4　④

国が2022年にガイドライン（指針）をまとめましたが、法制化されてはいません。①具体的には例えば、「子どもを持つかどうか」「持つとしたら人数や時期をどうするか」を自己決定できる権利です。②医師の診察を受けて処方箋で購入するのが原則ですが、選択肢のような「市販化」を求める声の高まりを受けて2023年、試験販売が一部の薬局で始まりました。③このため「命の選別」につながる、との指摘があります。【94、95ジ】

22 災害と日本
(問題→70ページ)

問1　②

レベル5に対応する避難情報は「緊急安全確保」です。「高齢者等避難」はレベル3です。①2021年から速報を、2022年から予測情報を発表する運用を始めました。④2023年10月時点で全国の8割を超える市区町村が作成に着手しています。【96、98ジ】

問2　④

①レンガ造りの建物も多くが倒壊しました。耐震基準が法令で定められたのは関東大震災の翌年です。②想定はM7.3です。関東大震災はM7.9で、地震のエネルギーは8倍近いです。④火災ではなく津波を中心とする被害が想定されています。【97、138ジ】

問3　③

ゆっくりと大きく揺れる長周期地震動は遠くまで伝わりやすく、揺れの周期が同様に長い高層ビルを共振によって大きく揺らす場合があります。気象庁は2023年、緊急地震速報を伝える対象地域を改め、長周期地震動で一定の被害が見込まれる地域を対象に含めました。近年、大都市圏を中心に高層ビルが増え、長周期地震動の影響を受ける人が急増しているためです。【97ジ】

問4　③

福島第1原発の廃炉作業で最大の難関とされているのが燃料デブリの取り出し（1～3号機）です。2021年に開始するとしていましたが、2号機からの試験的な取り出しすら始まっていません（2023年末時点）。①事実ではありません。帰還困難区域のうち復興拠点以外でも新たに除染を進めますが、帰還困難区域の全域ではありま

せん。②国ではなく東電です。④回収後どこに搬出、保管するかは決まっていません。【99ジ】

問5　③

A、B：汚染水を多核種除去設備「ＡＬＰＳ（アルプス）」に通し、大部分の放射性物質の濃度を国の基準値未満に下げたものが処理水です。アルプスで取り除けないトリチウムの濃度が、国の基準値の40分の1未満になるよう海水で薄めて沖合に放出しています。C：2023年7月に公表しました。【99ジ】

23 地球環境を守るために
(問題→71ページ)

問1　①

これは地球温暖化対策の「緩和策」の例です。適応策とは、温暖化が今後進むことを前提に、災害などによる被害を軽くするための対策です。2018年に施行された気候変動適応法は、国の「適応計画」を基に、地域ごとの計画策定を地方自治体に求めています。【100ジ】

問2　④

A：第5次では「極めて高い」と記し、第6次では「疑う余地がない」と断定しました。C：欧州や島しょ国などが「段階的な廃止」を求めましたが、産油国などが反対し、「廃止」より弱い表現とされる化石燃料からの「脱却」で合意しました。【100、101ジ】

問3　②

削減義務を負わなかった中国やインドの排出量が急増したため、米国が「新興国や途上国が対象外なのは不平等だ」などとして2001年に離脱しました。そこで、パリ協定は全締約国に削減目標の設定を義務づけました。ただし、目標は国ごとに定めます（③）。①罰則規定がありました。④京都議定書で既に導入されています。【101、102ジ】

問4　②

2030年までに、陸地と海のそれぞれ30％以上を保全する目標を定めています。①③「カルタヘナ議定書」と「モントリオール議定書」を逆にすれば、それぞれ正しい説明になります。④バーゼル条約は、汚れたプラごみを含む有害廃棄物の輸出入を規制する国際ルールです。プラスチックに特化し、プラ製品の生産や廃棄など、全ての段階でプラ汚染を防止するための条約が現在、策定に向け交渉中です（2023年末時点）。【102、103、105ジ】

問5　①

イタイイタイ病の前段症状であるカドミウム腎症を発症した人に、原因企業が一時金を支給する救済策で2013年に合意しました。②石油化学コンビナートから排出された亜硫酸ガスです。③川の名前が逆です。④2009年、患者と認定されず、救済から漏れた人のために制定されました。しかし、住んでいた地域や年代に基準を設けて救済対象を区切ったため、基準外の人々はた

準2級　2級　1級　政治　経済　暮らし　社会・防犯　国際　正解

とえ水俣病の症状が出ていても、救済対象とはなりませんでした。こうした基準は不当だとして国や県、原因企業に賠償を求める集団訴訟が進行しており、2023年には大阪地方裁判所が原告全員を水俣病と認定し、賠償を命じました。【103ジー】

■ その他のテーマ
（問題→72ページ）

問1 ③

離婚後300日以内に出産した場合、前夫の子とみなす規定があったためです。父親を変更するには前夫が訴えを起こす必要があり、女性や生まれた子が変更することはできませんでした。このため、女性が前夫と連絡を取るのを恐れて出生届を出さず、子どもが無戸籍になることが問題になってきました。改正民法（2024年4月施行）でこの規定が見直され、再婚している場合、離婚から300日以内に生まれた子でも現夫の子とみなすようになります。また、これに合わせて、女性だけに定められていた再婚禁止期間の規定もなくなります。①人権問題が指摘されるアフガニスタンや中国なども含め、196カ国・地域が参加しています（2023年末時点）。国連加盟国で参加していないのは米国のみです。選択肢の前半は事実です。②2014年に加盟しています。④懲戒権の規定は削除されました（2022年施行）。

問2 ④

川崎市で2020年、全国で初めてヘイトスピーチに刑事罰を定めた人権条例が施行されました。①条例が先行し、法律は未制定です。②原則、盲導犬や介助犬などの同伴を拒んではならないとして、受け入れが義務づけられています。③政府は「先住権を有する集団はアイヌの中に存在しない」との立場で、法律でも先住権には言及されていません。【82、83ジー】

問3 ①

1948年に死刑を、1955年に絞首刑という手段を、日本国憲法が禁じる「残虐な刑罰」に当たらないと判断しています。②対象です。③出さなかった法相もいます。④禁じられていません。再審請求中の執行例もあります。

問4 ②

B：堤防で守られる市街地や農地から見て、堤防の向こう側（河川側）が「外」、手前が「内」です。河川の水が堤防を越えるなどして氾濫し、市街地が浸水するのは、「外側にある水」の氾濫なので「外水氾濫」です。

問5 ①

規制的手法は権利や自由を直接制限する方法です。一方、経済的手法は経済的負担や優遇制度を設け、望ましい行動を促す方法です。②エコカー減税として国内で導入されました。③温室効果ガスの排出削減分をクレジット化して取引を認める制度です。④欧州連合（EU）が2026年に本格導入する国境炭素税も一例です。

国 際
各問題の解説末尾の【●ジー】は、公式テキストの参照ページを示しています

24 平和な世界どうやって
（問題→73ページ）

問1 ③

B：通常の武力攻撃に加えてサイバー攻撃などを複合的に用いる軍事戦略は「ハイブリッド戦」と呼ばれます。A：安保理はこうした決議をしておらず、経済制裁は各国・地域の判断に基づきます。ロシアは安保理の常任理事国として拒否権を持つため、ロシアに不利な安保理決議を採択するのは事実上、不可能です。C：ロシアや米国などは不参加です。ICCは戦争犯罪の疑いで、ロシアのプーチン大統領に対する逮捕状を発行しました（2023年）。しかし、ICCに不参加のロシアには、ICCの捜査に協力する義務はなく、ロシア側からの身柄引き渡しは難しいのが実情です。【108、135ジー】

問2 ③

①ハマスは、イスラエルとパレスチナ側が和平交渉に合意したオスロ合意を承認していません。②「ガザ地区」です。④バイデン政権は2国家解決（パレスチナ人の独立国家を樹立し、イスラエルと平和のうちに共存する、という案）を支持してきました。しかし、イスラエルとパレスチナの対立は2023年10月以降の軍事衝突で激化し、パレスチナ自治区ガザ地区に大規模な攻撃を加えてきたイスラエルは2024年2月、パレスチナ国家の一方的な承認に反対する考えを示しました。そのため、実現はさらに困難となっています。【107、109ジー】

問3 ①

②これは集団的自衛権の説明です。集団安全保障は、国連憲章で定める「武力行使の禁止」の原則に違反した加盟国に、他の加盟国が協力して制裁を加える仕組みです。③事実ではありません。例えばロシアによるウクライナ侵攻を受けて2022年、安保理の招集で開催されました。④拒否権を行使できます。【108ジー】

問4 ①

湾岸戦争のことです。国連憲章は加盟国に、個別的・集団的自衛権の発動▽安保理の決定に基づく軍事行動——に限って武力行使を認めています。②～④はどちらにも該当しないとされています。

問5 ②

A：ノン・ルフールマン原則といい、難民条約33条に規定されています。B：UNRWAは「国連パレスチナ難民救済事業機関」の英略語です。パレスチナ難民の直接救済を目的として、国連が1949年に設立しました。C：条約加入前からインドシナ難民を、加入後も第三国定住制度でミャンマー難民を受け入れています。

25 核兵器と向き合う世界

（問題→74ページ）

問1 ③

通常兵器による攻撃でも、対抗手段として核兵器を使用する（核の先制使用）可能性があるとしています。①バイデン政権が検討しましたが、見送りました。②批准していません。④ＩＮＦ全廃条約は2019年に失効しています。米露間に残る核軍縮条約は新ＳＴＡＲＴのみですが、2023年にロシアが履行停止を表明し、米国も対抗措置をとったため、先行きが見通せなくなっています。【110、113、121、134、137ページ】

問2 ②

①廃止は求めていません。核禁条約は前文で、「ＮＰＴの完全な実施が、国際平和の促進に不可欠な役割を果たすことを再確認」すると記しており、核禁条約とＮＰＴは相互補完関係にあるとされます。③地下での核実験は対象外です。④ＣＴＢＴ（1996年採択）は未発効です。発効には、潜在的な核開発能力を持つ特定の44カ国の批准が必要とされますが、このうち核保有国である米国や中国などが批准しておらず、ロシアも2023年に批准を撤回しました。【110、111ページ】

問3 ③

Ａ：トルコ（エ）、Ｂ：ロシアの同盟国のベラルーシ（イ）と、ＮＡＴＯ加盟国とロシアの間に位置し、ロシアの侵攻を受けているウクライナ（ウ）、Ｃ：隣国スウェーデンとともにＮＡＴＯへの加盟を申請したフィンランド（ア）――が当てはまります。このうち、正しい組み合わせになるのは③だけです。ちなみに、2024年2月にはスウェーデンのＮＡＴＯ加盟も決定しました。【112、121ページ】

問4 ④

①米英仏独露中の6カ国とイランによる合意です。②正しくは、「核兵器の製造につながるウラン濃縮能力の制限」などの見返りに経済制裁を解除するという内容です。イランはまだ核兵器を保有していないとみられます。③バイデン政権は核合意に復帰していません。【113ページ】

問5 ④

近年、ＩＣＢＭの発射実験を繰り返し、「成功した」と発表しています。①休戦に反対した韓国は署名しませんでした。②終結を目指すことが盛り込まれましたが、いまだに終結していません。③尹政権は北朝鮮に対する強硬姿勢を示しています。【22、113、137ページ】

26 米国 次のリーダーは

（問題→75ページ）

問1 ④

①民主党や共和党の指名を受けなくても立候補は可能ですが、強固な2大政党制の下では、大統領に選出される可能性はきわめて低いのが実情です。②事実ではあり

ません。選挙人の総数は538人で、各州の人口などに応じて割り振られます。③民主、共和両党の予備選挙・党員集会が多数の州で実施される2～3月上旬の火曜日を「スーパーチューズデー」と呼びます。候補者の指名争いの流れを決定付けることが多いため、注目されます。【115、120ページ】

問2 ②

Ａ：上院は各州2人です。下院の議席は各州の人口に応じて配分されます。Ｃ：9人の連邦最高裁判事は、自ら退任するか死去するまで務めます。新たな判事は大統領が指名し、上院の承認を経て決まります。民主党の大統領はリベラル派、共和党の大統領は保守派の人物を指名する傾向があるため、政治が司法に与える影響の大きさが指摘されています。Ｂ：大統領の弾劾が成立した例はありません。ニクソン氏は、ウォーターゲート事件を巡る弾劾の成立前に辞任しました。【115、120ページ】

問3 ④

バイデン政権下で2022年に成立しました。①2020年の国勢調査によると、ヒスパニック18.7％、黒人12.1％です。③連邦最高裁は2022年、女性の人工妊娠中絶を憲法上の権利と認めた従来の判例（ロー対ウェイド判決）を覆しました。これによって、人工妊娠中絶を認めるかどうかは各州の判断に委ねられることになり、女性のリプロダクティブ権（性と生殖に関する権利）が脅かされるといった批判の声が米国の国内外から上がりました。【115ページ】

問4 ③

人権を軽視した統治が復活しているとして国際的な批判を招いています。一方で、国際社会によるタリバンへの経済制裁やアフガンへの支援停止によって、国民の生活が圧迫されて貧困や飢餓がまん延するなど、人道危機が拡大しています。①侵攻したのは旧ソ連軍で、旧ソ連軍との戦いを契機に創設されたとされます。②「ビンラディン容疑者をかくまった」との理由です。④承認した国はありませんが、中国が承認に前向きな姿勢を示しています（2023年末時点）。【106、139ページ】

27 鈍る中国 台頭する国々

（問題→76ページ）

問1 ④

「2期10年まで」としていた任期の上限が2018年の憲法改正で撤廃されました。①「民主党派」と呼ばれる8政党も認められています。②党の現在のトップは「総書記」です。③全人代の全体会議は例年3月に開かれます。「5年に1度」は中国共産党大会です。【118ページ】

問2 ②

Ａ：習氏が2013年に提唱しました。Ｂ：共同富裕は、貧富の格差を縮小して社会全体で豊かになることを目指す、習指導部による格差是正政策のスローガンです。

C：これに対して台湾の民進党政権は、「一つの中国」原則を認めない方針を示してきました。2024年1月の台湾総統選挙の結果、民進党政権の継続が決まり、この方針が継承される見通しです。【116、117ページ】

問3 ③

対中強硬路線を掲げる「民進党」出身です。民進党政権の継続によって、中国と台湾の緊張関係は当面続くとみられています。④ただし中国で成立した国家安全維持法の施行（2020年）により、「事実上、崩壊した」とされます。【117、118ページ】

問4 ①

中国は線の内側に位置する南沙諸島などの軍事拠点化を進め、ベトナムなどと対立を深めています。中国が2023年に公表した新しい地図では、領有権を主張する範囲がさらに拡大しています。②安保理ではなく、オランダ・ハーグの仲裁裁判所の判断です。安保理では常任理事国の中国が拒否権を行使することが見込まれるため、こうした決議案の採択は事実上、不可能です。③東シナ海には2013年に設定しました。④主張しています。【118ページ】

問5 ①

A：いずれも「対中包囲網」の一環で、クアッドは経済的、技術的協力の枠組み、AUKUSは安全保障の枠組みです。B：「国際秩序を変える意図と能力を備えた唯一の競争相手」と位置づけています。C：新疆ウイグル自治区が関係する産品は、強制労働で生産されたものではないことなどを企業が証明しない限り原則全ての輸入を禁止する、という内容の「ウイグル強制労働防止法」が施行されました（2022年）。【21、106、117、118ページ】

■ その他のテーマ

（問題→77ページ）

問1 ③

A：事実ではありません。例えばロシアによるウクライナ侵攻に関する複数の総会決議案を巡っても、投票行動は割れています。B：新たに参加したのはエジプト、エチオピア、イラン、サウジアラビア、アラブ首長国連邦（UAE）です。C：米国などとの連携拡大を進める一方、ロシアとも友好関係を維持してエネルギー供給を受けるなど、実利を確保しようとしています。【119ページ】

問2 ①

リスボン条約は2009年に発効しました。EU大統領は正式には「欧州理事会常任議長」といい、EUの最高意思決定機関である欧州理事会は加盟国の首脳らで構成されます。②例えばアイルランドはEU加盟国ですが、シェンゲン協定には加盟していません。③両者間で新たに貿易協定が結ばれ、自由貿易が維持されています。④ウクライナは2022年に加盟を申請し、加盟候補国に認定されました。加盟に向けた交渉が続いています。【121ページ】

問3 ②

A：ミャンマーでは2021年に国軍が起こしたクーデターで、国家顧問だったアウンサンスーチー氏が拘束されました。B：フィリピンでは、1960～80年代に独裁政権を敷いたマルコス元大統領の長男が2022年、大統領に就任しました。C：シンガポールは、ASEAN加盟10カ国の中で人口は2番目に少ないですが、1人当たりの名目GDPは最大です。【119ページ】

問4 ②

A：1952年、C：1962年、D：1970年、B：1987年——です。Aを含む米ソの核開発競争による緊張はCで頂点に達し、世界は核戦争の瀬戸際に追い込まれました。この反省からDに至りました。米ソはその後、欧州を軸に核配備合戦を展開しましたが、両国は1980年代に緊張緩和を目指し、Bが実現しました。【111、112、121ページ】

問5 ②

①マンデラ氏はアパルトヘイト政策の廃止後に大統領に就任しました。③オバマ氏ではなく、元米副大統領のゴア氏です。オバマ氏は「核なき世界」を訴え、現職の米大統領として受賞しました（2009年）。④ユスフザイ氏はパキスタンで子どもが教育を受ける権利を訴え、史上最年少（当時17歳）で受賞しました。イランにおける女性の権利擁護などが評価されたのは、2023年の受賞者、モハンマディ氏です。

読解・活用問題

1 足元揺らぐ地方議会
（問題→78.79ページ）

問1 ③

イ：「立候補する女性は依然少ない」ことを裏付けるには、立候補した女性の数の推移を表す資料が必要です。エ：「無投票率が高い」選挙ほど「有権者の関心が低い」ことを裏付けるには、資料Ⅲに加え、各選挙への有権者の関心の度合いを示す資料が必要です。アは資料ⅠとⅢ、ウは資料Ⅳで裏付けられます。

問2 ②

Aさんの「被選挙権の下限年齢と供託金の額を引き下げる」、Dさんの「任期延長などを通じて統一率を高める」対策は、いずれも選挙制度に関する提案です。Bさんの「通称・旧姓使用の推進」は議員の働く環境、Cさんの「夜間・休日議会」は、議員の働く環境と、傍聴などを通じた議会への住民参加の両方に関連する提案です。

2 日本経済の「実力」とは？
（問題→80.81ページ）

問1 ④

①引き下げではなく「引き上げ」です。ほかにも不動産融資の総量規制が実施されたことなどが要因で、1990年代に入ると景気は急激に冷え込みました。②中国の人民元ではなく「タイのバーツ」です。③「低」所得者向けの「高」金利住宅ローン「サブプライムローン」です。FF（フェデラルファンド）レートは、米国の政策金利のことです。【42ッ】

問2 ③

O：GDPデフレーターは国内のものやサービスの物価変動を総合的に表す指数で、名目GDPを実質GDPで割って算出します。R：一般に、財政出動や金融緩和は潜在成長率を引き上げる方向に働きます。いずれも景気や新たな需要を刺激する効果があるためです。S：一般に、IT化などの技術革新は労働や資本1単位当たりの生産量を増やすため、TFPを上げる方向に働きます。

問3 ②

①絶対的貧困の撲滅に加え、先進国を含む貧困状況の改善も目指しています。SDGsは途上国だけでなく先進国も対象で、その理念は「誰一人取り残さない」と表現されます。③地球上のさまざまな問題は互いに関連しているという考えを背景に、「経済、社会、環境の調和」を重視し、経済成長と環境保護の両立を目指しています。④国際的な協力、特に途上国への支援を促しています。選択肢の前半は正しい説明です。【6ッ】

3 死刑制度は是か非か
（問題→82.83ページ）

問1 ②

Ⅰは死刑制度に反対を明言するAさんに同意しており、冤罪によって無実の人を死刑にしてしまうことを懸念するDさんが当てはまります。Ⅱは制度の存廃について国民の議論喚起を求め、賛否を明らかにしていないCさんが当てはまります。Bさんは「自分の命で罪を償うべきだ」、Eさんは「制度自体に問題はない」と述べ、賛成の立場です。

問2 ④

前後の文から、Xは死刑に凶悪犯罪の抑止効果があると考える人が多いことを示す資料Ⅴ▽Yは冤罪で死刑が確定した例があると示す資料Ⅲ▽Zは最高裁が死刑を「残虐な刑罰」に当たらず合憲とした資料Ⅱ——を根拠にしていると分かります。ア：刑法犯の認知件数が2000年ごろから減少傾向であることは読み取れますが、それが死刑の抑止効果によることを示す資料はありません。エ：資料Ⅳは、最高裁が「極刑がやむをえないと認められる場合は死刑の選択は許されている」と判断したことを示しています。そのため、「どんな場合でも死刑の選択は許されない」とするエの発言の根拠にはなり得ません。

4 人間とAIの「判断」を巡って
（問題→84ページ）

問1 ③

①Bさんはケース1、2どちらも「（人としての義務である）交通ルールを破った」ことから、許されないとしています。結果的に助かった命に注目してどちらも許されるとしたAさんとは立場が違います。②Cさんは死傷者のいなかったケース2について、「歩行者の安全」という要素も判断して許されないとしています。④実際に存在する意見ですが、4人の発言にこうした意見は含まれていません。

1 級

130、131ページで示しているのは「正答例」です

記述式問題

政　治

(問題→86、87ページ)

問1	クオータ	問7	拡大抑止
問2	1票の格差	問8	徴用工
問3	期日前	問9	専守
問4	マイナンバー	問10	日米地位協定
問5	緊急事態	問11	関係
問6	国事行為	問12	地方交付税

問13
国や地方の選挙で、男女の候補者の数ができる限り均等になるよう政党に努力義務を課している。ただし、罰則規定はない。

問14
非拘束名簿式を原則とする比例代表選挙で、政党・政治団体が任意で、候補者名簿の一部にあらかじめ当選順位を付けられる制度。

問15
政権の獲得を目指す政党と異なり、圧力団体は自らの利益の実現を目的に、陳情や献金・集票などによって政府や政党に働きかける。

問16
国会として憲法改正案を決め、国民に提案することを発議という。発議には、衆参各議院で総議員の3分の2以上の賛成が必要だ。

問17
自衛隊は憲法上認められている自衛権に基づく必要最小限度の実力組織だ。9条が不保持を定める「戦力」には当たらず、合憲だ。

問18
両国は国交を回復し、ソ連は日本の国連加盟を支持する。北方四島のうち歯舞群島と色丹島は平和条約締結後、日本に引き渡す。

問19
相手国の攻撃が迫っており、防ぐため他に手段がない場合に限って自衛の範囲に含まれ、行使することは日本国憲法上許される。

問20
地方自治体の議員と首長がそれぞれ選挙で直接選ばれ、ともに住民の代表として互いの活動をチェックし合う仕組みだ。

経　済

(問題→88、89ページ)

問1	イールドカーブ	問7	政策
問2	スタグフレーション	問8	地理的表示
問3	予備費	問9	オーバーツーリズム
問4	インボイス	問10	エミッション
問5	デリスキング	問11	GX
問6	FOMC	問12	洋上

問13
原材料や賃金などのコスト上昇に伴うインフレのこと。供給側の要因で生じるため改善が難しく、「悪いインフレ」とも呼ばれる。

問14
他の税に比べて景気の変動に左右されにくく、税収を安定的に確保できる。一方、低所得者ほど税の負担感が重くなる逆進性がある。

問15
日本銀行による国債の直接引き受けを禁じる原則。政府が発行した国債を日銀が引き受けるとインフレを招く恐れがあるためだ。

問16
アジアでの影響力を強める中国を念頭に、米国の主導で発足した新経済圏構想。関税の削減・撤廃に関する交渉はしない点が特徴だ。

問17
国の安全保障のため、政府が企業活動を規制する法律。半導体など特定重要物資の供給網の強化や先端技術開発の推進などを目指す。

問18
供給網全体において、人権侵害が生じていないかどうかを企業が点検し、対処すること。欧米を中心に取り組みが広がっている。

問19
立場の強い企業が、その地位を利用して取引先などに不当な不利益を与えること。不公正な取引手法として独占禁止法が禁じている。

問20
必要な電力を天候や時間帯に関係なく、安定的に供給できる電源のこと。政府は例えば、原子力や水力をこれに位置づけている。

暮らし (問題→90ページ)

問1	オーナス	問4	インターバル
問2	団塊 （だんかい）	問5	景品表示
問3	生存	問6	エシカル

問7
出生数と死亡数の大小関係による「自然増減」と、入国者数と出国者数の大小関係による「社会増減」の二つが、主な要因だ。

問8
物価と賃金が上昇したときに、その伸びよりも年金支給額の伸びを抑える仕組み。将来世代の給付水準を確保するために導入された。

問9
宅配需要の増える中、2024年4月からトラック運転手に残業の上限規制が適用され、輸送力が減って物流の滞りが懸念されること。

問10
未成年者の契約には親など法定代理人の同意が必要で、その同意を得ずに未成年者が結んだ契約は原則として取り消すことができる。

社会・環境 (問題→91,92ページ)

問1	親権	問7	ファクト
問2	ヤングケアラー	問8	アルツハイマー
問3	選択的夫婦別姓	問9	リプロダクティブ
問4	先住	問10	線状降水帯
問5	国民審査	問11	災害関連死
問6	ターゲティング	問12	ニュートラル

問13
担当が分かれていた子ども政策を一元的に担う。幼保一元化は見送られ、幼稚園を含む教育行政は文部科学省が引き続き所管する。

問14
性の多様性について、国民の理解を進める施策を策定する努力義務を課している。ただし、差別を禁じてはおらず、罰則もない。

問15
わいせつ目的であることを隠して子どもに近づき、性的な要求を断れないよう手なずけること。改正刑法で処罰規定が新設された。

問16
法律などが憲法に違反していないかどうかを、具体的な紛争を解決する過程で判断する。3審制のもと、最終決定権は最高裁にある。

問17
インターネット上に残る、自分に関する不都合な情報の削除を求める権利のことで、プライバシー権などを基に主張されている。

問18
妊婦の血液を基に胎児の染色体異常を推定する検査。病気や障害の備えに役立つ一方、「命の選別」につながるとの指摘がある。

問19
地下水が核燃料に触れて生じた「汚染水」から大部分の放射性物質を取り除き、その水をさらに海水で薄めて海に放出している。

問20
2030年までに陸地と海のそれぞれ30％以上を保全することを目指す。生物多様性の損失を止めるための「愛知目標」の後継だ。

国　際 (問題→93ページ)

問1	ヨルダン	問4	ジェノサイド
問2	NPT	問5	核心的
問3	NATO	問6	グローバルサウス

問7
平和を維持するために、加盟国間の武力紛争を原則禁止する一方、違反国に対しては他の加盟国が協力して制裁を加える仕組み。

問8
法的拘束力があり、国連の全加盟国が従う義務がある。常任理事国には拒否権があり、1カ国でも行使すれば決議を採択できない。

問9
核兵器を違法とする初の条約で、核抑止力の根幹である威嚇も禁止している。米国の「核の傘」に依存する日本は参加していない。

問10
州ごとに勝者を決め、大半の州は勝者がその州の選挙人を総取りする。全米の総得票数ではなく選挙人の総獲得数で勝敗が決まる。

読解・活用問題

1 どうする 社会保障の国民負担

(問題→94,95ページ)

問1 ①

　I：設問文の条件より、計算式の分子（税収や社会保険料など）は変化しません。そのうえで分母（国民所得）のみが増えれば、計算結果（国民負担率）は下がります。III：OECD加盟国の国民負担率を「一目瞭然」（学生Cの一つ目の発言）で比較しているのはグラフXです。グラフYの場合、比較するには国ごとの租税負担率と社会保障負担率の合計を自分で計算する必要があり、「一目瞭然」とはいきません（IV）。II：税源移譲しても国と地方の税収総額は変わらないため、国民負担率も変化しません。

問2 ②

　社会支出は、社会保障制度のために使われた税金や社会保険料に、病院建設費などを合算した金額です。「負担と給付」のうち「給付」を示すデータです。①一般政府歳出には社会保障以外の分野への支出が含まれているため、負担と給付のバランスを比較するには不適切です。③従属人口指数は、社会の年齢構造を示す指数の一つです。社会保障の負担と給付のバランスとは関連性が低いです。④日本と他国を比較するのに、国内のデータだけでは不十分です。

2 安全保障のフレームワーク

(問題→96,97ページ)

問1 ③

　①A〜D全ての項目が引用文の趣旨と合致しません。②引用文6〜7行目では、今日の国際課題への対処には「従来の国家を中心に据えたアプローチだけでは不十分」だと指摘しています。そのため、Aには従来の「主権国家」よりも広い主体が当てはまると考えられます。④Bの「相互依存関係」は、グローバル化が進む今日の世界の現状認識あるいは前提条件であって（引用文3〜5行目）、守るべき価値ではありません。

3 理論から考える投票率向上

(問題→98ページ)

問1 ②

　I：投票率40％で無効票ゼロの場合、当選可能な最少得票数は当日有権者数×40％÷4（人）で、当日有権者数の1割です。自治体首長選の法定得票数は有効票数の4分の1で、得票が同数の場合はくじ引きで決まるため、再選挙となる可能性はありません。III：投票率が上がると当選に必要な票数も増えるため、自分の1票が与える影響は小さくなると考えられます。

問2 ③

　Bの値：アキさんの一つ目の発言から、どの候補が当選しても、行われる政策には大きな差がないと考えられます。そのため、期待効用差は小さいと推測できます。Cの値：レイさんの一つ目の発言から、前回よりも投票コストは大きくなると推測できます。Pの値：「投票率の大幅な上昇は見通せない」ことから、選挙結果に与える1票の影響が小さくなるとは言えない、と推測できます。

グラフを使いこなすには

最初に 円グラフ、棒グラフ、折れ線グラフ……。ニュース報道や行政機関・企業のウェブサイト、国会質疑、専門書などではさまざまなグラフが使われています。データをどのように見せたいのか——といった作り手の意図によってグラフの種類も変わってくるのです。入試のためだけではなく、インターネットなどであふれる情報が本当かどうかを自分で見分けるためにも、グラフを読み解くポイントを押さえましょう。　　　　　　　　　　　　　※一部のデータについては出典を割愛しています。

まず一歩

ステップ1
グラフの種類をチェック
- ▼棒グラフは「棒の高さでデータを比較する」、円グラフは「全体のうちの割合を示す」——など、グラフにはそれぞれの「持ち味」があります
- ▼グラフの種類を確認し、グラフが示す情報を読み解きましょう

ステップ2
タイトル、軸をチェック
- ▼タイトルはグラフの「顔」です。何に関するグラフなのか確認しましょう
- ▼軸の単位や目盛りを正確に確認しましょう。目盛りの一部が省略されている場合や、一つのグラフに「左目盛り」と「右目盛り」がある場合もあります

ステップ3
傾きや特徴をチェック
- ▼グラフの傾き（右肩上がりなのか、右肩下がりなのか）や、データの最大値、最小値といった特徴に注目しましょう
- ▼グラフの内容と、説明が一致しているか確認しましょう（うそや誇張が含まれていることもあります）

もう一歩

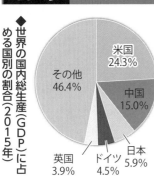

◆世界の国内総生産（GDP）に占める国別の割合（2015年）

▼**Aさんの分析「世界のGDPに占める中国の割合は近年、上昇傾向にある」**

✕ 円グラフは「全体のうちの割合」を把握するには便利ですが、「上昇や低下の傾向」の分析には適していません。もし本当に上昇傾向にあるとしても、このグラフだけでは根拠になりません。複数年の移り変わりを示すデータが必要です。

■教訓：一つの円グラフから「複数年の傾向」は読み取れない。

☞ ステップ1

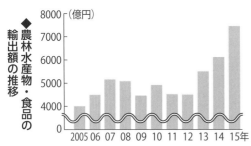

◆農林水産物・食品の輸出額の推移

▼**Bさんの分析「2015年の輸出額は2012年の2倍以上だ」**

✕ 縦軸で「4000億円」未満の目盛りが省かれているため、そう見えるだけです。縦軸の目盛りをきちんと読めば、2015年（7500億円前後）は2012年（4500億円前後）の1.6倍前後だと分かります。

■教訓：縦軸目盛りの一部を省いたグラフに注意する。

☞ ステップ2

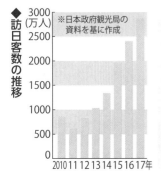

◆訪日客数の推移

※日本政府観光局の資料を基に作成

▼**Cさんの分析「訪日外国人旅行客は2018年以降も増え続けると推測される」**

✕ このグラフで示されているのは「2012年から2017年まで増え続けてきた」という「過去の事実」だけです。2018年以降の訪日客数に関する「推測」や「推計」は示されていません。横軸（年）をよく確認しましょう。

このグラフに基づきCさんのように分析するためには、2017年までの人数に加えて、2018年以降の推計値がこのグラフの中で示されている必要があります。

■教訓：グラフが、相手の説明の根拠として適切かどうか、確認する。

☞ ステップ1〜3

◆保育所などの定員数と待機児童数の推移

待機児童数
（左目盛り）

定員数
（右目盛り）

※いずれの年も4月1日時点

▼Dさんの分析「2011年の待機児童数は定員数を4000人余り上回っていた」

✕ 2011年の定員数は220万人前後です。待機児童数（左目盛り）と違って、定員数は右目盛りを見るべきなのに、Dさんはどちらも左目盛りを見てしまったのです。

■教訓：複数データを示すグラフは右目盛りも確かめる。

☞ ステップ1・2

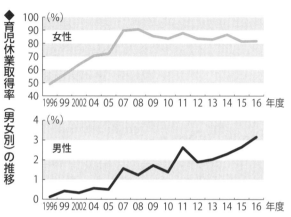

◆育児休業取得率（男女別）の推移

女性

男性

▼Eさんの分析「2016年度の取得率を1996年度と比べると、男性の増加幅のほうが女性の増加幅よりも大きい」

✕ 男性の2016年度の取得率（3％強）は、1996年度（0.1〜0.2％程度）から約3㌽上がっただけです。これに対し、女性の2016年度の取得率（80％強）は、1996年度（50％弱）から30㌽余り上がっています。

■教訓：「見かけ」にだまされることなく、目盛りをしっかり確認する。

☞ ステップ1〜3

さらに一歩

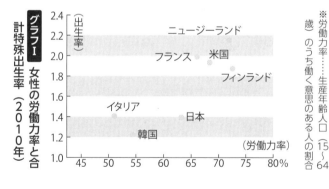

グラフⅠ 女性の労働力率と合計特殊出生率（2010年）

ニュージーランド

フランス　米国

フィンランド

イタリア　日本

韓国
（労働力率）

※労働力率……生産年齢人口（15〜64歳）のうち働く意思のある人の割合

グラフⅡ 1日当たりの男女別家事労働時間

女性　男性

	米国	フィンランド	フランス	イタリア	日本	韓国	ニュージーランド	OECD平均
女性	167	168	193	227	225	186	186	208
男性	101	104	113	67	31	31	92	90

※グラフⅠ、Ⅱはともに経済協力開発機構（OECD）のデータベースを基に作成

▼Fさんの分析「グラフⅠで女性の労働力率が65％以上かつ合計特殊出生率が1.6以上の国は全て、グラフⅡで男性の家事労働時間がOECD平均を上回っている」

○ 「グラフⅠで女性の労働力率が65％未満かつ合計特殊出生率が1.6未満の国は全て、グラフⅡで女性の家事労働時間が男性の3倍を超えている」という分析もできます。このように、異なる二つのグラフから新たな情報を読み取れる場合があります。ちなみに、グラフⅠのようなグラフを「散布図」といいます（ここでは、情報を読み取りやすくするため、国の数をあえて少なめにしました）。

■教訓：異なる二つのデータを組み合わせて新たな情報を読み取れる場合がある。

☞ ステップ1〜3

2024年度版ニュース検定
公式問題集「時事力」(1・2・準2級対応)

編者：ニュース検定公式テキスト編集委員会
監修：日本ニュース時事能力検定協会

2024年3月30日　初版　第1刷発行

発行　　　株式会社毎日教育総合研究所　　　　株式会社朝日新聞社
　　　　　〒100-0003　　　　　　　　　　　　〒104-8011
　　　　　東京都千代田区一ツ橋1-1-1　　　　東京都中央区築地5-3-2
　　　　　TEL:03-3212-1406（編集）

発売　　　毎日新聞出版株式会社
　　　　　〒102-0074
　　　　　東京都千代田区九段南1-6-17
　　　　　TEL:03-6265-6941（営業）

編集協力　　毎日新聞社

写真提供　　朝日新聞社　毎日新聞社

印刷・製本　株式会社リーブルテック

DTP・編集協力　アート工房／カバーイラスト　フクイヒロシ／カバーデザイン　リーブルテック　宮嶋忠昭